6
6000643433

DE MITOLOGOS Y NOVELISTAS

CARLOS BLANCO AGUINAGA

DE MITOLOGOS Y NOVELISTAS

EDICIONES TURNER
MADRID

Calle Génova, 3. Madrid-4
Papel fabricado por Torras Hostench
ISBN: 84-85137-20-5
Depósito legal: M. 28.724-1975
Imprime Closas-Orcoyen, S. L. Martínez Paje, 5. Madrid-29

Toda mitología doma, domina, trabaja las fuerzas de la naturaleza en la imaginación y por la imaginación. Desaparece en el momento en que esas fuerzas están realmente dominadas.

K. M.

NOTA

Se agrupan aquí cinco ensayos escritos entre 1968 y 1973. En versiones casi iguales se han publicado ya los dedicados a Octavio Paz (*Aztlán*, Los Angeles, California, vol. 3, 1, 1973), a García Márquez (en *Narradores hispanoamericanos de hoy*, North Carolina, 1973) y a Carlos Fuentes (*Cuadernos políticos*, México, D. F., núm. 2, otoño 1974).

Además de que cada uno de estos cinco ensayos tiene su origen propio, iban todos dirigidos a formar parte de un estudio todavía incompleto sobre la «nueva novela» de lengua española y sus presupuestos teóricos, en el cual, desde luego, se prestaría especial atención a la novelística hispanoamericana. El proyecto inicial se fue complicando, alargando y desviando por terrenos teóricos que, por el momento, no parecen referirse directamente a esa tan traída y llevada «nueva novela». No me pareció mal, por tanto, a solicitud de «Turner», juntar de una vez los cinco ensayos aquí recogidos: me atrevo a creer que es en ellos tan clara la unidad temática como la perspectiva crítica realista: los cinco tratan de las relaciones entre literatura e historia y en los cinco se trata —contra conocidas tendencias— de ver las cosas de pie y no de cabeza; por lo demás, une a todos estos ensayos una intención polémica cuyo sentido, si alguno tuvo esa intención, ha de perderse muy pronto (si no se ha perdido ya).

Queda sólo por advertir que en cuatro de los cinco ensayos estudio una sola obra del autor en cuestión, y ello por dos razones: porque domina en la perspectiva crítica realista una tendencia que debe corregirse a no leer con suficiente detalle los textos sobre los cuales se generaliza, y porque cada uno de los libros aquí escogidos para el estudio me parece característico de su autor y de tendencias más generales; es decir, que me parecen todos ellos textos desde los cuales podemos y debemos generalizar.

Lo que de ningún modo significa que ciertos autores o novelas que aquí *no* se estudian sean iguales o signifiquen lo mismo que los aquí estudiados. Hablo de tendencias y de sus formas extremas. Así, por ejemplo, considero que el libro de Carlos Fuentes sobre *La nueva novela hispanoamericana* (1969), siendo muy de Carlos Fuentes, y adelantándose en su primera versión aparecida en la revista *Siempre* (México, julio de 1964) a muchas ideas que luego serán lugares comunes, es a la vez como un resumen o precipitado de cosas sólo al parecer diversas que estaban en el aire y que unos y otros decían o han dicho sobre: el lenguaje como estructura universal; el fracaso del realismo; la necesidad de volver a escribir novelas de caballerías; contra la «pesadilla» de la Historia; acerca de la libertad del artista, etc. Cuando en una «Mesa redonda» o «Encuentro» de la televisión mexicana (canal 5, 17 de julio de 1974), en lo que significa un intento de difusión «masiva» de ciertos principios, Vargas Llosa, por ejemplo, declara que puede haber una literatura de autores «verdaderamente grandes» que sean «completamente ciegos a los problemas de su tiempo», o que en la literatura «la verdad o la mentira dependen exclusivamente de su forma», no creo, desde luego, que esté diciendo lo mismo que Cortázar cuando éste propone —formulación ya famosa— que lo que los escritores han de ser es «revolucionarios de la literatura» más que «literatos de la revolución»; pero ambas ideas están dentro de una tendencia general que —sin ir más lejos— ha obligado a Cortázar en alguna ocasión a salir en defensa de Vargas Llosa. Y cuando en una conferencia (Palacio de Bellas Artes, México, 17 de junio de 1972), Manuel García Ponce propone que en México las «novelas no pasan en ningún lado», que «pasan en el lenguaje»; o cuando un crítico declara que Juan Benet «ha optado por el discurso frente a la Historia»; cuando en otra «Mesa redonda» (Windsor, Canadá, marzo de 1974), Salvador Elizondo declara que él escribe para sí mismo; o cuando Juan Goytisolo explica que «lo que ocurre es que los poetas descubrieron antes que los novelistas que el texto literario no se escribe con ideas, sentimientos o emociones, sino con palabras» (*Revista de Occidente*, abril 1974, p. 26), hemos de sospechar que, a traves de los últimos años y en zonas distintas, navegamos por un mismo «universo de discurso» cuya formulación extrema quizá se encuentre en la idea de Octavio Paz de que «fuera del mundo de signos, que es el mundo de las palabras, no hay mundo» (cf. suplemento de *Siempre,* México, D. F., 8 de abril de 1970).

Son grandes, sin embargo, en sus vidas y en sus obras, las diferencias entre unos y otros escritores del «boom» y sus aledaños. En las páginas que siguen, por tanto, se trata *sólo* de los textos de que se trata o a los que se alude; pero bien podría ocurrir que a partir de estas páginas, cuidadosamente, con el rigor que merece la alta calidad de la nueva literatura, puedan alcanzarse ciertas necesarias generalizaciones.

EL LABERINTO FABRICADO POR OCTAVIO PAZ

El laberinto de la soledad se publicó por primera vez hace casi treinta años. Fue en su tiempo libro muy influyente cuando unos y otros andábamos en México a la caza del «ser del mexicano». Se trata, además, dentro del conjunto de la obra de Octavio Paz, de un libro fundamental al que hemos de ir una y otra vez para entender esa obra, ya que el mismo poeta vuelve a él al reeditarlo, al escribir *Posdata* (1970) y, en general, según sigue repensando algunos de sus conceptos centrales, no sólo a lo largo de su poesía, sino en artículos y entrevistas de periódicos y en nuevos libros de ensayos.

Pero las páginas que siguen no están escritas con la intención de determinar el lugar exacto que *El laberinto de la soledad* ocupa dentro de la obra de Octavio Paz. Tampoco responde a ningún deseo de «demostrar» la influencia de Paz sobre, digamos, Carlos Fuentes, o tal vez García Márquez, o más recientemente Juan Goytisolo, o, en general, sobre la «nueva novela»; se trata, más bien, dando por cierta —en su sentido más amplio— esa influencia, de enfrentarse críticamente con lo que Carpentier llamaba el «lenguaje de magos y profetas» con el que algunos hablan de «Nuestra América» (1): de asomarse a ese rincón del laberinto desde el cual, como resumiendo una muy amplia tendencia antirealista de nuestros días, Octavio Paz puede darse el lujo de escribir que

> La realidad de América es material, mental, visual y, sobre todo, verbal... Más que una realidad que descubrimos o hacemos, América es una realidad que decimos (2).

Unos dicen América, otros España; otros, más sencillamente, la Historia. Dista mucho *El laberinto de la soledad* de ser la fuente de tantos como así hablan; pero son sus páginas brillantes sobre el «ser» del mexicano predilecto, lugar de encuentro en nuestra lengua de los que, de uno u otro modo, andan tras el «realismo mágico». Creo, por tanto, que merecen hoy de nuevo una lectura cuidadosa.

1

El mexicano, afirma Octavio Paz en *El laberinto de la soledad,* se mueve siempre con «aire furtivo, inquieto» (p. 13) (3); se esconde tras la «simula-

---

(1) Alejo Carpentier, *Literatura y conciencia política en América latina, Comunicación,* serie B. Madrid, 1969, p. 76.

(2) En *Veinte poemas de William Carlos Williams,* ERA, México, 1973

(3) Citaré de *El laberinto de la soledad,* siempre según la edición de 1950, Cuadernos Americanos, México, D. F.

ción» (p. 39), en la «hipocresía» (p. 21), y hasta cuando verbalmente parece romper su «reserva» (p. 13), lo hace con un lenguaje «lleno de reticencias, de figuras y alusiones, de puntos suspensivos» (p. 29); lenguaje que —«máscara el rostro, máscara la sonrisa»— (p. 29) nunca revela su intimidad. Para esconderse, para defenderse del mundo, el mexicano se vale también del «adorno» (p. 13), de la «cortesía» (p. 32), de la «ironía» (p. 76), del «formalismo» en el arte (p. 33) y, peculiaridad suya sólo en apariencia paradójica, del «machismo», que no es sino una forma más de cerrazón (si alguien ha de abrirse, «rejarse», que sea *el otro:* la mujer o el homosexual; p. 30, *passim*).

> En suma, entre la realidad y su persona [el mexicano] establece una muralla, no por invisible menos infranqueable, de impersonalidad y lejanía. El mexicano siempre está lejos, lejos del mundo y de los demás. Lejos también de sí mismo (p. 29).

Como consecuencia última de tantas y tan elaboradas maneras de distanciarse del mundo y hasta de «sí mismo», el mexicano acaba por difuminarse, por convertirse en «sombra y fantasma» (pp. 42 y siguientes).

Con estas afirmaciones —basadas en observaciones de comportamiento cotidiano cuyo valor objetivo no interesa aquí discutir— no parece negarse directamente el principio básico de la dialéctica existencial que expone el mismo Octavio Paz (con palabras de Antonio Machado, bajo la firma de Abel Martín) en el epígrafe mismo del *Laberinto...:* que toda existencia se nos revela siempre en relación conflictiva con «lo otro». Resulta difícil, sin embargo, concebir que quien se encuentra tan «lejos del mundo y de los demás» y hasta «de sí mismo», quien no es sino «sombra y fantasma», pueda existir en una verdadera relación dialéctica con nada. Y, en efecto, Octavio Paz nos explica que el mexicano, ente al parecer especialísimo, «no se opone» a nada. En peculiar relación con todo lo que no es él, con todo «lo otro», apenas «flota»: «flota, pero no se opone» (p. 13). No es de extrañar que sea tan sobrehumana, tan laberíntica y original, la soledad de quienes, en rigor, hemos de suponer, viven, si es que viven, fuera del mundo.

Ahora bien, según la doctrina existencialista, de la que aquí no se despega Octavio Paz, sucede que «en todos lados el hombre está solo» (p. 18) y que, por tanto, la soledad «no es característica exclusiva del mexicano» (p. 173), por peculiar que sea su comportamiento. Afirma también Paz que «la pregunta que se hacen todos los hombres hoy [1947] no es diversa a la que se hacen los mexicanos» (p. 191), porque, al igual que ocurre con el mexicano, «entre el mundo» y todo hombre «se abre una impalpable, transparente muralla: la de nuestra consciencia» (p. 9). Todo lo cual, desde luego, no impide que la soledad del mexicano sea distinta de la de otros hombres (ya que, en buena dialéctica, lo universal no excluye lo particular, «lo otro» supone la existencia de «lo uno», etc.). El problema de Octavio Paz será, por tanto, encontrar las características peculiares de una distinción que nos permita decir: he aquí un mexicano —que no un francés, o un turco o un peruano— en su soledad inconfundible. Se impone, pues, la comparación con otros tipos de soledad y con otros tipos de comportamiento que de ella se deriven. Sólo así, al distinguir, por ejemplo, entre la «transparente muralla» que erige el mexicano frente al mundo y la que —según Paz— erigen también los demás hombres, podremos saber *quién* y *qué* es ese mexicano de cuyo tan original comportamiento se nos habla.

Desgraciadamente, quizá porque *El laberinto...* se originó en California y porque su primer capítulo trata del comportamiento de los mexicanos según se daba, en los *Estados Unidos*, entre los *pachucos*, la única soledad con la que Paz compara significativamente la soledad del mexicano es la del norteamericano, de la cual, afirma Paz, es «diversa» porque la soledad del norteamericano resulta de que éste vive «extraviado en un mundo abstracto de máquinas, conciudadanos y preceptos morales», en tanto que, por el contrario, la soledad del mexicano «existe por sí misma y tiene vida propia... bajo la gran noche de piedra de la Altiplanicie, poblada todavía de dioses insaciables». Es decir: frente a la soledad del norteamericano, la del mexicano existe en una realidad que «no ha sido inventada por el hombre» (pp. 18-19).

Poco más se nos explica; pero nada menos. La soledad de los demás (y no tenemos más remedio que suponer que la del norteamericano vale por todas las demás) tendrá, si se quiere, raíces históricas porque se da en un mundo «inventado», o sea: hecho por el hombre («máquinas», «conciudadanos»); no así la del mexicano, cuyo ser impoluto, «flotante» desde que fue «arrancado» del «todo» (p. 19), del «silencio anterior a la Historia» (p. 45), «cruza la Historia», pero ni hace Historia ni es hecho por ella (p. 19).

Para que no haya lugar a dudas sobre esta original no historicidad, nuestro poeta insistirá más adelante en que la actitud del mexicano «ante la vida no está condicionada por los hechos históricos» (p. 77). Por tanto, especialmente si se tienen a mano esa Poesía y esos Mitos que, según el mismo Paz, se oponen a la Historia (p. 189), «¿para qué buscar en la Historia una respuesta que sólo nosotros podemos dar?» (p. 20); donde suponemos ha de entenderse que la respuesta no se dará en la Historia, puesto que ese «nosotros» es un «ser» (plural) que no hace Historia.

No otra cosa era de esperarse de quien existe tan al margen de todo «lo otro» que hasta se encuentra «lejos de sí mismo», olvidado allá, como en el limbo, «bajo la gran noche de piedra de la Altiplanicie».

2

«Pero lo otro no se deja eliminar; subsiste, persiste; es el hueso duro de roer en que la razón deja los dientes», explica Antonio Machado en el epígrafe que Octavio Paz le ha puesto a su *Laberinto*... Y «lo otro», frente a un libro, es por lo pronto el lector quien en este caso se pregunta:

1. ¿Es el mexicano de que aquí se nos habla el casi legendario tolteca, el azteca, el tarasco, el tlaxcalteca, el tonaco, el tarahumara, el maya? ¿Acaso el negro esclavo de los ingenios? ¿Se nos habla del mestizo, del criollo, del mulato, del zambo, del cuarterón? ¿Será el jarocho, o el del Valle de México solamente; el norteño, el guerrerense o el yucateco (pero, ¿tras cuántas migraciones antiguas y modernas?)? ¿El de 1947, el de 1600 o el de 1810? ¿El que da órdenes en la mina (o en la hacienda, la fábrica, en el ejército, en el restorán) o quien la obedece?

2. ¿En qué, concretamente, se distingue «la noche de la piedra de la Altiplanicie» de las noches del Cuzco o de Denver?

3. Al adjetivar de «piedra» esa «noche», desentendiéndose de tanto verde como tuvo el Valle, ¿se refiere Octavio Paz a una condición «natural» (rocas, lava) o a la transformación portentosa de la naturaleza en monumentos («invento» de los hombres) fechabales históricamente (pirámides, catedrales)?

4. ¿Es acaso todo México Altiplanicie?

5. ¿De qué manera persiste esa «noche de piedra» en la conflictiva existencia de *pachucos* de Los Angeles, cuyos padres —pongamos por caso— eran de los Mochis?

6. ¿En qué se distingue el querer volver al «todo» que se supone caracteriza al mexicano, de

la misma inclinación según se da —pongamos por caso— en la India, en los Sufíes, en los místicos alemanes del siglo XIV o en las señoras vienesas estudiadas por Freud?

7. ¿Corresponden a una realidad objetiva y permanente las estereotipadas características de comportamiento mexicano descritas por nuestro poeta?

«Lo otro» es, en efecto, lo que se niega a «flotar» y «se opone»: el lector frente a los estereotipos inmutables de *El laberinto de la soledad;* el tlaxcalteca frente al azteca; el indio contra el español; el mestizo y otras castas contra el criollo; el criollo contra el peninsular; la burguesía liberal de fines del XVIII a la burguesía administrativa; el minero de Guanajuato a las tropas realistas; Madero a don Porfirio, y Zapata a los carrancistas; el *pachuco* a la nada fantasmal policía de Los Angeles durante la Segunda Guerra Mundial; los estudiantes de México a quienes ya sabemos en 1968 (y en 1971, y antes y después).

Porque «lo otro» —por lo menos en estas riberas de aquí hace ya tiempo vacías de «dioses»— es en última instancia la Historia que, según el mismo Paz, se opone al Mito y a la Poesía. Esa Historia que nos enseña, por ejemplo, que al igual que las «máquinas», los «preceptos morales» y los conceptos de «ciudadanía», también los Mitos y la Poesía son «inventos» del hombre; que nos recuerda también, y quizá ante todo, que ese «mexicano» que, según el poeta, «cruza» la Historia sin hacerla ni ser hecho por ella, cuando su nombre sobrevive se llama, para bien y para mal: Netzahualcoyotl, Cuauhtémoc, Cortés, Sor Juana, Hidalgo, Santa Anna, don Porfirio, R. Flores Magón, Madero, Villa, Bulnes, Cárdenas, Alemán, Octavio Paz... Lo que no excluye, desde luego, que por debajo de esos nombres y todos los demás que quisiéramos añadir, la inmensa mayoría de los mexicanos, al igual que la inmensa mayoría de los hombres, crean haber sido más hechos que hacedores de su Historia; ni excluye tampoco el que, a excepción de ciertos momentos coyunturales en que «el mexicano» —es decir, un grupo, una casta o una clase de mexicanos— ha intentado revolucionar su Historia, ésta ha sido dirigida «desde fuera» por las diversas potencias coloniales que han mantenido a Latinoamérica en situación de dependencia. Para explicar lo cual resulta engañoso decir que «el mexicano» *cruza* la Historia sin hacerla, ya que lo necesario es el estudio de esa Historia.

3

Lo más grave de *El laberinto de la soledad,* lo que quizá explique que sea tal laberinto, es que Octavio Paz —como desde «otro» yo suyo— sabe de sobra, según veremos, que «lo otro no se deja eliminar», que «lo uno» —según dice su epígrafe— padece de una «incurable otredad». Pero, ¡cómo lucha por convencerse y convencernos de que no es así! Por ejemplo, en su ya famoso análisis del «ninguneo», donde, empeñado en demostrar que el mexicano «flota, pero no se opone», trata de negar la existencia de un claro proceso de negación, es decir, de primaria dialéctica.

> No sólo nos disimulamos a nosotros mismos y nos hacemos transparentes y fantasmales —escribe el poeta—; también disimulamos la existencia de nuestros semejantes..., los ninguneamos. El ninguneo es una operación que consiste en hacer de Alguien, Ninguno... Al fin, entre vanos gestos [el otro], se pierde en el limbo de donde surgió... Es inútil que ninguno hable, publique libros, pinte cuadros, se ponga de cabeza. Ninguno es la ausencia de nuestras miradas, la pausa de nuestra conversación, la reticencia de nuestro silencio. Es el nombre que olvidamos siempre por una extraña fatalidad, el eterno ausente, el invitado que no invitamos, el hueco que no llenamos.

Sin embargo, se nos aclara, «sería un error pensar que los demás le impiden existir» (p. 44).

Extraña conclusión ésta —laberíntica en verdad— cuando se nos ha dicho que «el ninguneo es una operación que consiste en hacer de Alguien, Ninguno», ya que, si no nos equivocamos, toda «operación» *proviene de* y *se dirige a* con el fin de transformar aquello (o aquel) a lo que (o a quien) se dirige; donde la voluntad de transformar lleva implícita la negación de aquello (o aquel) a lo que (o a quien) se dirige. En el caso de lo que en México se llama «ninguneo», *Alguien* que mantiene (o cree mantener) su calidad de *sujeto,* niega tal calidad a otro

Alguien a quien al transformar así en *objeto,* transforma en *Ninguno.* ¿Habrá entendido mal Octavio Paz los análisis de Sartre en los que por aquellos años se aclaraban luminosamente —aunque a nivel abstracto— estas cuestiones, así como aquello de que —y volvemos a Machado partiendo de Hegel— el camino de la afirmación personal pasa siempre por la negación del «otro»? Sin salirnos del texto mismo de Paz, ni del ámbito de la dialéctica existencial a que Paz debe, si no su laberinto, sí el fundamento lógico de su análisis, no podemos menos que reconocer que «lo otro», en este caso la negación de la existencia implícita en el «ninguneo» —negación que niega el poeta— sigue siendo el «hueso duro de roer».

Pero se dirá tal vez que el significado ontológico extremo que Sartre y otros dan (o daban) a las relaciones entre el para-sí y el en-sí (sujeto y objeto, amo y esclavo, etc.) no pasa de ser abstracción lógica (o cuando mucho abstracción psicológica), ya que en la realidad cotidiana el «ninguneado» no pierde en rigor (físicamente) la existencia: no se le «impide» realmente «existir», según afirma Paz. El *Alguien* que llega a ser *Ninguno* para mí, no por ello deja necesariamente de existir para sí mismo y para los demás (es incluso posible que logre a su vez convertir a «otro» en Ninguno). Deberíamos, pues, ser realistas, se dirá, y reconocer que la negación de la existencia del otro implícita en el ninguneo es, hasta cierto punto, metafórica. Por lo demás, muy cuidadosamente, Paz habla de que «*disimulamos* la existencia de nuestros semejantes»;

donde «disimular» significa «hacer como que» el otro no existe y no, en rigor, «impedir» su existencia.

Sin embargo, es un hecho tanto histórico como psicológico, indiscutible realidad de las relaciones amo-esclavo, que el «ninguneador» puede darse el lujo de hacer como que el otro no existe, sin por ello «impedirle» la existencia, por dos razones.

En casos concretos de relaciones de producción (cuya forma extrema sería ciertamente la relación amo-esclavo), porque necesita su fuerza de trabajo: «impedir» realmente la existencia del «otro» sería quedarse sin mano de obra. Basta, pues, según ya quedó explicitado hace mucho tiempo, mantenerle al nivel justo de subsistencia y/o en el trabajo alienado; o lo que es aún más grave, en el ejército laboral de reserva. Se trata, pues, no de «impedir» la existencia de nadie, sino de mantener al objeto de la explotación «en su lugar» de no-Alguien, donde «Alguien» es quien manda.

Al nivel psicológico, sustentado más o menos obviamente en estas relaciones materiales, a quien «es Alguien» no le interesa «impedir la existencia» del otro porque sin él —espejo en el que confirma su presencia— no puede el ninguneador afirmar su propia existencia: se es Alguien (o Nadie, o Ninguna) frente a (para) otros.

Ahora bien, tanto al nivel material como en su representación psicológica, la «operación» que es el «ninguneo» puede mantenerse en el plano del «disimulo» única y exclusivamente en tanto que el ninguneado no se rebela, pretendiendo afirmar su existencia, su ser realmente «Alguien», frente a y contra quien se lo niega cotidianamente. Si el ninguneado es el mexicano de los Estados Unidos del cual trata *El laberinto de la soledad* en su capítulo primero, todo será, en efecto, rutinaria y fantasmal «disimulación» en tanto que nadie levante una voz de protesta por las condiciones de trabajo, por el racismo, por el desempleo, por la discriminación cultural en las escuelas o por la persecución policíaca; es decir, mientras el ninguneado siga manteniéndose calladito. Pero si el mexicano se llama Flores Magón, acaba muriendo en la cárcel de Fort Leavenworth; si es un obrero sindical de los años treinta, se le deporta, se le encarcela o se le asesina; si es un *pachuco* que le sale respondón al policía, se le da una paliza o un tiro. Y si el ninguneo, no ya en los Estados Unidos, sino en México mismo, proviene de una transparente espalda gubernamental, de una ausencia de las miradas de quien es «Alguien», todo irá bien en tanto que «el invitado que no invitamos» no decida acudir al banquete; pero en cuanto exige la parte que le corresponde, la «espalda glacial» del «Amo» —fantasmal sombra de caudillos— se convertirá en nada fantasmales helicópteros, tanques y ametralladoras que, con todo rigor, sin fantasmagoría ninguna, «impiden» la existencia.

De donde se deduce que el «ninguneo», por reveladora y original que sea la palabra mexicana que lo describe, es una operación dialéctica clásica que se da en todas partes y en todos los tiempos, a nivel social y, por tanto, a nivel psicológico; operación por medio de la cual, aunque Paz se empeñe en negarlo, se le niega al otro su humanidad, se le impide su existencia en cuanto lo que es: Alguien. Y como lo otro o el otro se resiste siempre más o menos (de ahí que sea «el hueso duro de roer»), el ninguneo, lo quiera o no Octavio Paz, es una operación sólo posible desde el poder (de clase, y, por tanto, personal) que reprime la resistencia, intentando precisamente convertir en «fantasma», en ser «imaginario», a todo lo que no flota, sino que se opone o puede oponerse. En cuanto tal operación, nada limita las posibilidades del poder para «impedir» la existencia del prójimo, salvo, como queda dicho, la necesidad de que el otro exista, y en última instancia, en el extremo revolucionario, la conciencia y la fuerza del otro.

4

Quizá sea la explicación del ninguneo el más notable ejemplo particular que ofrece *El laberinto de la soledad* de la manera en que Octavio Paz acostumbra hacer «como que» se enfrenta dialécticamente con la realidad, cuando, en rigor, nos «disimula» la existencia antagónica de todo «lo otro», escamoteando así el verdadero proceso dialéctico. Pero más allá de ejemplos particulares, una y otra vez a lo largo del libro, el hueso verdaderamente difícil de roer con que tropieza el poeta, la otredad absoluta cuya existencia no logra «disimular», es la Historia; la Historia que trata de ningunear desde el Mito y se le mete de rondón en las «reticencias» de sus silencios, se invita donde no la llaman y, quieras que no, brota entre las contradicciones del brillante lenguaje «poético», exigiendo que de ella se hable. De ahí que, a pesar de todo, tras tanto darle vueltas a «la noche de piedra», las «máscaras», el «ninguneo», la «Chingada», el «Todo», la «Madre», etc., escriba Paz lo siguiente en la página final del capítulo IV: «La Reforma es la gran ruptura con la Madre» (p. 89); a lo que ya inevitablemente, puesto que «la Reforma» es un momento histórico, siguen tres capítulos de Historia de México.

Quien ha venido leyendo *El laberinto...* con verdadera atención no puede extrañarse, porque ya desde el capítulo I andaba el poeta a tropezones con la Historia, queriendo disimular su existencia, pero acudiendo inevitablemente a ella para ayudarse a explicar «lejanías», «máscaras», «reticencias», etc., y cayendo, por tanto, en contradicciones y confusiones. Así, por ejemplo, además de aquello de que el mexicano «cruza» la Historia pero no la hace (cf. *supra*, p. 6), se nos explica que «el hombre, me parece, no está en la Historia: es Historia» (p. 23); palabras con que o se dice que el hombre «es Historia» porque nace a la Historia y, por tanto, estando en ella la hace, o no se dice nada. O bien, a pesar de que se nos ha dicho que es inútil «buscar en la Historia una respuesta que sólo nosotros podemos dar» (p. 20), nos explica Paz que el «hermetismo» mexicano «se justifica [!] si se piensa en lo que ha sido nuestra Historia y en el carácter de la sociedad que hemos creado» (p. 30); donde parece suponerse que, contra lo dicho en otras partes, el mexicano ha «creado» su Historia.

Hay páginas enteras en las que, decidido al parecer a enfrentarse por fin con el problema que plantea la Historia, el poeta se contradice, tropieza, se pierde, se revuelve a oscuras —incluso entre parciales aciertos— en el laberinto por él mismo fabricado. Así cuando escribe que

> Nuestra actitud ante la vida no está condicionada por los hechos históricos... Nuestra actitud vital... también es historia. Quiero decir, los hechos históricos no son nada más hechos, sino que están teñidos de humanidad, esto es, de problematicidad... La Historia no es un mecanismo, y las influencias entre los diversos componentes de un hecho histórico son recíprocas, como tantas veces se ha dicho. Lo que distingue a un hecho histórico de los otros hechos es su carácter histórico... Un hecho histórico no es la suma de los llamados factores de la historia, sino una realidad indisoluble... Por eso toda explicación puramente histórica es insuficiente, lo que no equivale a decir que sea falsa (pp. 77-78).

Más allá de la afirmación indiscutible de que la «Historia no es un mecanismo» y de que todo «hecho» histórico no puede sino estar teñido de «humanidad» (precisamente porque el hombre hace la Historia), ¿quién descifrará tal trabalenguas?

Sospechemos que aquí «lo otro» —presente hasta

en «la reticencia de nuestro silencio»—, aquello a lo que Paz alude esquinadamente, es la idea marxista de la Historia, que lamentablemente, o tal vez por conveniencia, confunde con su más vulgar expresión «mecanicista» y «deshumanizada». Cómoda forma ésta de permitirse el lujo de «flotar», de no tener que oponerse a una interpretación de la realidad —tal como se encuentra, por ejemplo, en el *Dieciocho Brumario* de Marx— en que la clave es, precisamente, *la reciprocidad* de «los diversos componentes de un hecho histórico». Pero si Paz ha decidido hacer que lucha con un fantasma en vez de enfrentarse seriamente con lo que en verdad se opone a sus mitologizaciones, el hecho es que ahi está «el hueso duro de roer» de todo antihistoricismo: de ahí las alusiones y confusiones de quien, queriendo mantener al mexicano en una intemporal «noche de piedra», se ve obligado, una y otra vez, a referirse a la Historia; de ahí que quien escribe que toda «explicación puramente histórica es insuficiente» (aunque no falsa), escriba también laberínticas y tautológicas palabras como aquellas en que nos explica que «lo que distingue a un hecho histórico de los otros hechos es su carácter histórico», donde o hemos de suponer que hay hechos humanos no históricos (lo cual es mucho suponer), o no se dice nada al final de la idea que no se haya dicho ya en su principio.

Y de ahí, en suma, la necesidad de la segunda parte del *Laberinto...*, su parte histórica, a lo largo de la cual se nos explican ciertas peculiaridades de la manera de ser del mexicano en términos de una larga y difícil lucha por la afirmación de la identidad; larga historia que sería incomprensible, por ejemplo, sin los conceptos de opresión (tanto *pre* como *post* cortesiana) y de lucha de clases que Paz emplea aquí de vez en cuando muy acertadamente. Resultan tan brillantes hoy como en 1947 las interpretaciones del nacimiento de México a partir de «una doble violencia imperial y unitaria» (p. 103), de la crisis social de fines del XVIII (p. 117), de la lucha de clases durante los años de la Independencia (p. 124), de la falta de base social de la Reforma (p. 127), de la «inautenticidad» —hoy diríamos, tal vez, «dependencia»— del porfirismo (p. 129), del peligro en que se encontraba México en 1947 de caer en manos del neo-porfirismo (p. 143), etc.

De todo lo cual ha de resultar que la gente de lo que hoy es México —y parece increíble tener que insistir en estas cosas— ha venido no «cruzando» una «Historia» abstracta y como diseñada de antemano, sino, como los demás pueblos, haciendo su Historia contra otros (Estados Unidos en 1848, por ejemplo) y contra sí misma (razas, clases en conflicto), oponiéndose cotidianamente a Algo y a Alguien en cuanto sujetos, que no objetos, de un quehacer en el que el hombre se hace a sí mismo. Si Octavio Paz sabe, además, que, como ha dicho Malraux, «los mitos no acuden a la complicidad de nuestra razón, sino a la de nuestros instintos» (pp. 152-153), si no ya en *El laberinto de la soledad*, sino en *El arco y la lira* aceptaba ampliamente las exigencias de la Historia y llegaba incluso a escribir que el «poeta no escapa a la Historia» (4), ¿por qué durante los primeros cuatro capítulos de su laberinto se dedica a la reventa de mitos que no sólo son «insuficientes», sino «falsos»?

5

Ya hemos recordado que cerca del final del libro habla Octavio Paz de «la oposición entre Historia y Mito o Historia y Poesía» (p. 189), y, en efecto, tarde o temprano, hasta en el texto mismo de *El laberinto de la soledad*, según hemos visto, los mitos acaban por darse de bruces con la Historia: los «fantasmas» y sus «enemigos imaginarios» encarnan, adquieren acta de nacimiento, filiación social, racial, económica y política, y se llaman Reforma, lucha de clases, porfiriato, etc. Se revela entonces la verdadera dimensión objetiva de la dialéctica del «Ser» y nos encontramos con que nadie «flota», sino que todo se «opone», no a la manera poético-metafísica de Heráclito, no según la abstracta fórmula de Hegel, sino en coyunturas históricas perfectamente descriptibles en términos sociales, económicos, políticos y psicológicos.

Los ejemplos son para México tantos y muchos más que los que el mismo Paz nos recuerda en la segunda parte de *El laberinto de la soledad.* Tal vez por ello, andando el tiempo, veintidós años después, Octavio Paz escribirá en *Posdata* —libro que califi-

(4) *El arco y la lira*, Fondo de Cultura, México, D. F., 1972, página 189.

ca de «prolongación» del *Laberinto*... (5)— que «el mexicano no es una esencia, sino una historia» (6). Sólo que ahora a esa «historia», definida como «lo que pasó», se le opone «el verdadero pasado», en el cual se contienen «ciertos elementos invariantes» que son el «algo que no pasa» de la Historia (7): unos meses más tarde hablará el poeta de que existe en la Historia un «nivel más hondo» que lo «económico, social y político», «un nivel que llamo "intrahistórico"» (8). Este sorprendente regreso de Paz al lenguaje idealista de Unamuno es inseparable de su explicación fantasmagórica de la matanza de Tlatelolco y, como siempre, de sus ataques esquinados a la idea marxista de la Historia (9). A la vez, en *Posdata* se expresa también con claridad una de las tesis centrales de la «nueva» literatura (y de la «nueva» crítica): «Cuando una sociedad se corrompe —escribe Paz—, lo primero que se gangrena es el lenguaje. La crítica de la sociedad, en consecuencia,

(5) *Posdata*, Siglo XXI, México, D. F, 1970, p. 10.
(6) *Loc. cit.*
(7) *Op. cit.*, p. 104.
(8) «La cultura en México», suplemento de *Siempre*, México, D. F., 8 de abril de 1970, p. II. En *Posdata*, p. 64, aparece la palabra «intrahistóricas».
(9) Lo de Tlatelolco, según Paz, fue un «acto ritual: un sacricificio» (p. 106), «una repetición instintiva que asumió la forma de un ritual de expiación» (p. 40). Por lo que al marxismo respecta: «la nueva clase es una criatura del régimen revolucionario, su deliberada creación, como la clase capitalista japonesa lo fue del movimiento de modernización que siguió a la restauración Meiji. En ambos casos se invierte la relación a que el marxismo nos había acostumbrado y que simplifica con exceso la realidad del proceso: el Estado no es tanto la expresión de la clase dominante, al menos en su origen, sino que ésta es el resultado de la acción del Estado» (pp. 66-67): se trata de una tesis central para el desarrollo del libro.

comienza con la gramática y con el restablecimiento de los significados» (10).

No estaremos de acuerdo con esta inversión de la realidad; pero en cuanto lectores escucharemos atentamente lo que nos propone el lenguaje de cada texto: sólo en él encontraremos lo que un autor nos revela y lo que nos esconde. Así, la lectura crítica de *El laberinto de la soledad,* contra la intención de su autor, debe servirnos para avanzar en la liquidación de los mitos y enseñarnos a atender, a plena luz del día, a la Historia concreta; he ahí un aspecto fundamental de la lucha de nuestro tiempo. Mal hará, desde luego, quien tanto en la teoría como en la praxis no tome en cuenta la existencia operante en la Historia de mitos y peculiaridades psicológicas del pueblo en el que vive y con el que trabaja; pero peor será si, conociéndolos, no intenta racionalizarlos en un continuo proceso de desmitificación. En cuanto a los «fantasmas» que «flotan», bueno será encerrarlos en ese closet que los mitólogos insisten en mantener abierto para proveerse de los bártulos con que las clases dominantes montan los «shows» de birlibirloque para distraernos de la realidad de la Historia y perdernos en artificiales laberintos de su exclusivo dominio.

(10) *Op. cit.,* pp. 76-77.

SOBRE LA LLUVIA Y LA HISTORIA EN LAS FICCIONES DE GARCIA MARQUEZ

Importa advertir de entrada que no escogemos arbitrariamente el tema de este estudio: la crítica ha insistido ya sobre algunos aspectos de la ambigua historicidad de la obra de García Márquez; por lo que respecta a la lluvia, recordamos que la que cae durante cuatro años, once meses y dos días es clave para la resolución de *Cien años de soledad*, que llueve también lo suyo en *La hojarasca* y *La mala hora*, así como, por lo menos, en tres de sus cuentos más conocidos («La viuda de Montiel», «Un día después del sábado» y «El coronel no tiene quien le escriba»)(1).

Conviene también de entrada no despegarse demasiado de la realidad recordando que en Colombia llueve mucho: cuatro o cinco meses al año en la

(1) Podría añadirse a la lista un cuarto cuento, el «Monólogo de Isabel viendo llover en Macondo» (1955), pero como no se trata de abultar porcentajes artificialmente, lo considero aquí como parte de la hojarasca.

vertiente del Caribe, que es donde ocurre todo o casi todo lo que narra García Márquez, y por lo menos 400 pulgadas anuales en las junglas de la vertiente del Pacífico. A este respecto no estará tal vez de más que tengamos en cuenta que, con raras excepciones (la de la gran cultura teocrática de Tikal, por ejemplo), en las zonas de alta pluviosidad (tipo jungla) no prospera la civilización, es decir, la Historia: frente al acontecer histórico, que es acción, consciencia y memoria, la lluvia puede, pues, simbolizar lo «natural inconsciente».

(Por lo demás, nada impide que el lector tenga presente a lo largo de estas páginas que la lluvia es también, tradicionalmente, símbolo de purificación, y el Diluvio.)

La primera época.

En la que llamaremos la primera época de García Márquez, es decir, en todas las obras citadas salvo *Cien años de soledad* (1967), o sea, en los cuentos y las dos novelas escritos entre 1947 y 1961 y publicados entre 1955 y 1962 (2), la lluvia es el correlato objetivo de una opresión histórica por obra de la cual el quehacer de los hombres parece haberse detenido para siempre. No se trata en estos cuentos y novelas de que sea la lluvia lo que inmoviliza a los personajes, deteniendo el curso de la Historia:

(2) Véase la cronología de las obras de García Márquez en *Nueve asedios a García Márquez*, Ed. Universitaria, Santiago de Chile, 1969; pp. 174-176.

aunque en toda zona de largas lluvias de estación —ya sea en el Caribe o en Vietnam—, la lluvia obliga a una pausa en ciertos tipos de quehacer histórico; la lectura atenta de estas narraciones revela que, con lluvia o sin ella, el mundo que describe García Márquez se encuentra encallado en la inactividad como consecuencia de la opresión política resultante de ciertos hechos históricos ocurridos anteriormente a cada uno de los episodios narrados.

En efecto, son comunes en estos relatos las alusiones a una malhadada historia anterior, cuyo origen conocen y recuerdan perfectamente los personajes de mayor edad, pero que a nosotros, lectores, no se nos describe con ningún detalle. Se trata de una historia toda luchas al parecer inútiles (alusiones a guerras entre liberales y conservadores, a chapuzas acomodaticias de las que sólo ha resultado la opresión patriotero-retórica, a huelgas fracasadas contra la United Fruit Company, a una brutal represión política...), como consecuencia de la cual, con lluvia o sin ella, ya nada se mueve; una terrible historia pasada, fuente de la opresión presente, tiene al parecer vencidos para siempre a los hombres y mujeres de estos relatos de García Márquez (3). De ahí, por ejemplo, que nos encontremos con un coronel que, estoica pero rutinariamente, espera durante cincuenta años una pensión de vencido que no le llega. El hecho de que cuando conocemos al

(3) Tal vez sea el estudio de Angel Rama «Un novelista de la violencia americana» el que de manera más inteligente y clara relaciona esta opresión con momentos muy concretos de la situación política en Colombia y en América. Cf. *Nueve asedios...*, pp. 106-125; en particular, pp. 111-119.

coronel llueve lenta y largamente, aparte de que es la temporada de lluvias, viene a subrayar de manera simbólica el estancamiento de la Historia, su aparente falta de futuro, al igual que refuerzan simbólicamente la idea del lejano origen de la opresión el entierro al que se dirige el coronel cuando le vemos por primera vez y la no-carta que hace quince años que no llega para anunciarle la esperada nueva de la pensión merecida desde hace cincuenta.

La lluvia, cuando cae en las ficciones de la primera época, es, pues, uno de los símbolos posibles que la realidad natural de Colombia ofrece a García Márquez para apuntar hacia la opresión y la inmovilidad aparente de la historia de su país (y de América); opresión de la cual no sabemos de cierto si podrán liberarse sus personajes hasta que no lleguemos al final de *La mala hora* (1961).

Pero la Historia no cesa. A lo largo de los años en que ocurre todo lo que narra García Márquez en su primera época (años que, según veremos más adelante, son en la historia de Colombia *posteriores* al final de *Cien años de soledad*), con lluvia o sin ella, se apunta aquí y allá a la posibilidad de que los personajes empiecen a sacudirse la opresión. Así, por ejemplo, con la muerte de Mamá Grande se pasa irremediablemente a una nueva coyuntura histórica y parece abrirse la posibilidad de cierta esperanza (aunque sólo sea por el tratamiento burlesco del tema); en «El coronel...» es evidente el descontento y la voluntad de acción de los jóvenes sastres (amigos del rebelde hijo desaparecido del coronel), quienes, clandestinamente, empiezan a distribuir volantes de propaganda política; y, por fin, en *La mala hora,* episodio final de esta etapa, empiezan a aparecer los pasquines subversivos por todas las paredes del pueblo: hasta cuando más cerrada parece la opresión y más sumiso el hombre, casi misteriosamente —pero con inevitabilidad histórica— alguien se agita. Las gentes mayores, los vencidos, los que llevan la memoria soterrada de los orígenes de la opresión presente, se asustan y quisieran que no se hubiese roto el largo silencio, porque en la actividad clandestina ven de nuevo el anuncio de malos tiempos por venir: la Historia anterior que han padecido y a la que, bien que mal, han sobrevivido bajo la opresión presente, lleva para ellos una carga demasiado grande de fracasos y muertes. Toda rebelión, toda apertura hacia el futuro, incorregiblemente, circularmente, con el más vulgar escepticismo, les hace revivir derrotas del pasado.

Pero, quieras que no, alguien se agita (4). Como consecuencia, inevitablemente, empieza a ir en aumento la vigilancia policíaca, que, de tanto ser costumbre, parecía haber perdido su dureza; la renovada vigilancia pronto deriva en una represión similar a la que los mayores han sufrido antes; y, por fin, llega el estallido que, seguramente —piensan los mayores—, llevará de nuevo a la derrota y a más dura opresión.

Pronto parece confirmarse la idea de los que niegan todo vivir por causa de lo ya vivido: al final de *La mala hora,* en efecto, «la cárcel está llena»...,

---

(4) Cf. También Angel Rama, *op. cit.*, p. 117-119.

«pero dicen que los hombres se están echando al monte para meterse en las guerrillas». Momentos después termina la novela —y la primera época de García Márquez— en total apertura hacia el futuro incierto en que los hombres, sin temor al pasado, en desafío radical a toda opresión, seguros de que nada se repite en la Historia, se lanzan a crear su destino en un país de América. Es de notar que para entonces ha cesado ya la lluvia que tanto deprime en *La mala hora.*

Cien años de soledad

A diferencia de las ficciones anteriores, *Cien años de soledad* no arranca *in media res,* es decir, en un momento cualquiera en el que *ya ha ocurrido* algo clave para la plena comprensión de la narración a la que asistimos. Llegará un momento en *Cien años...* en que, como en las narraciones anteriores, se detiene toda actividad histórica; pero ese estancamiento —y final— de la Historia en el que —tras una lluvia de cuatro años, once meses y dos días— acabarán por desaparecer Macondo y los Buendía tarda varios cientos de páginas en llegar. Mientras tanto, hemos asistido a la fabulosa aventura de la fundación de Macondo, de la llegada a Macondo de la «civilización» (es decir: de la entrada de Macondo en la Historia) y, paso a paso, al hacerse y deshacerse de una lamentable historia familiar, local y nacional.

Se empieza, diríamos, al revés. Huyendo de la civilización (costa del Caribe; reminiscencias del pirata Drake y de las luchas del siglo XVII por el control del que sería un día el «Tercer Mundo»), pero a resultas también de un cierto «pecado original», José Arcadio Buendía —el padre de la tribu— y su mujer, Ursula, llegan con sus seguidores al lugar donde fundarán Macondo. Se mantiene durante algún tiempo una situación de vida tribal autosuficiente: por algo nuestro carpintero-constructor (José) se llama también Arcadio: las Arcadias, como la naturaleza anterior a Macondo, no tienen Historia. Pero no hay vida fuera de la Historia de la que José Arcadio y los suyos han huido (y conviene recordar que «el pecado original» simboliza la entrada del hombre y la mujer en la Historia o, como decía Unamuno, «la condenación de la idea al tiempo»): quieras que no, a Macondo llegan gitanos que traen cosas e ideas del mundo de «fuera», las que presentan a los aislados habitantes de Macondo no como lo que son —pequeñas muestras de los inventos del «progreso»—, sino como trucos de magia. Despierta en seguida la enorme curiosidad de José Arcadio (curiosidad que es también componente del «pecado original»), hasta que, por fin, no aguantando ya más, decide salir de Macondo hacia el mundo con algunos de los suyos, en busca de la civilización de la que había huido —sólo para descubrir, *equivocadamente,* que: «¡Carajo, Macondo está rodeado de agua por todas partes!»

Pero ni Macondo está rodeado de agua por todas partes —nada en el mundo moderno es isla (5)—,

(5) Me encuentro aquí solo en aparente contradicción con una idea central del bonito artículo de Iris M. Zavala, «Cien

ni importa el error de José Arcadio: si la gente de Macondo no alcanza a llegar a la civilización, la civilización llega a Macondo. Paso a paso la Historia penetra en la vida del pueblo y lo incorpora a su curso universal: tras las varias apariciones de los gitanos llega un corregidor, luego un cura, más adelante guerras (y a partir de aquí la gente de Macondo no sólo «sufre» la Historia, sino que intenta hacerla y de hecho, claro está, la hace); llegan la escuela, el gramófono, la electricidad y, por fin, un tren de 140 vagones y 20.000 obreros que no vienen, desde luego, porque sí, sino porque en Macondo se ha descubierto la posibilidad de explotar algo que interesa a la «civilización»: los platanares que pasarán

---

años de soledad. Crónica de Indias» (*Insula*, núm. 286, septiembre 1970. Ahora reproducido y ampliado con el mismo título en el *Homenaje a García Márquez*, Las Américas, Nueva York, 1971, pp. 198-212): que «para los primeros navegantes, continente eran sólo aquellas tierras dentro del *orbis terrarum*, Europa y el Mediterráneo», lo demás era «isla», e «isla» es, por tanto, Macondo, ya que «no pertenece a Occidente». Absolutamente de acuerdo; sólo que una vez iniciada la expansión de Occidente hacia todas las «islas» que hoy son el Tercer Mundo, se desemboca fatalmente en el colonialismo y por tanto en lo que Marx llamaba «Historia del mundo» (Cf. *La ideología alemana*). Ya en esta etapa del «internacionalismo» —etapa que es la nuestra y era ya la de Buendía—, por más que la metrópolis trate a los pueblos coloniales de «isleños», todo aislamiento desaparece en la ceñida urdimbre de las relaciones económicas del capital monopolista internacional. Las modernas relaciones de opresión y dependencia revelan, por una parte, que el país dependiente —llámese Puerto Rico o Bolivia—, aunque sigue siendo «isla» para el dominador, es parte no aislada de un todo coherente, de un sistema creado precisamente por el dominador. Grave error sería en este sentido —y tomemos un ejemplo absurdo— que los cubanos de hoy creyesen vivir en una «isla», como grave error fue el de José Arcadio creer que Macondo era una isla y no poder anticipar, por tanto, la llegada de la United Fruit por ferrocarril. Más sobre esta cuestión en el ensayo sobre Carlos Fuentes.

a ser propiedad de la compañía de Mr. Brown, la United Fruit Company.

Para este entonces los Buendía llevan muchos años (de sesenta a ochenta) (6) de incestos y casi incestos, de muertes y fantasmas, de repeticiones y casi repeticiones de nombres y de rasgos genéticos (potencialidad sexual de unos, capacidad de ensueño o de violencia de otros, etc.), de variantes sobre el tema de los fracasos del coronel Buendía y, cada vez más encerrados en sí mismos, de soledad. Porque los Buendía —para este entonces—, con la excepción de las salidas del coronel, quien a la larga también acaba encerrándose en la tribu y en sí mismo, viven con voluntad de aislarse de la Historia, y, por tanto, como quien si en una isla buscase la tierra firme bordeando el mar volvería siempre al punto de partida, *creen* en la circularidad del tiempo (de ahí tanto nombre propio repetido y casi repetido). Así, aunque nada en rigor se ha repetido en la historia de la familia ni del pueblo, los Buendía entienden todo hecho singular, histórico, como variante de lo ya vivido (7). Ello es especialmente notable en Ursula, quien varias veces se expresa sobre el tema, llegando al colmo cuando al lanzarse José Arcadio Segundo al sindicalismo con los obreros de la Uni-

(6) Con un poco de paciencia podría calcularse exactamente el número de años comparando la información interna que ofrece *Cien años de soledad* con los datos que encontramos dispersos en todas las narraciones anteriores, y todo ello, a su vez, con algunos hechos de la Historia de Colombia a que se alude constantemente a lo largo de toda la obra de García Márquez

(7) Cf. en *Nueve asedios...*, pp. 74-78, «Gabriel García Márquez: *Cien años de soledad*».

ted Fruit Company y organizar la gran huelga, exclama: «Lo mismo que Aureliano. Es como si el mundo estuviera dando vueltas», idea en la que, tal vez porque confunde la Astronomía con la Historia, Ursula demuestra ignorar —entre otras cosas— la enorme diferencia que va en América de las luchas políticas del siglo XIX a las del siglo XX.

Los últimos Buendía, herederos de mitos y leyendas privados por los que se sienten unidos al origen tribal, «pre-histórico» de Macondo, a los ya remotos tiempos en que el sabio y paternalista José Arcadio dirigía los designios de todos —cuando Macondo era pequeño, limpio, ordenado y autosuficiente—, y herederos también de una fracasada participación familiar en la Historia de Colombia, viven encerrados en su propia fantasmagoría. Cuando se asoman al exterior, al mundo de cosas, gentes y actividades nuevas que hace años les ha invadido, todo les confunde y asombra. La huelga en la que Ursula cree volver a vivir en José Arcadio Segundo una historia ya vivida con Aureliano es el golpe definitivo: tras la matanza en que la huelga culmina, cae la lluvia de cuatro años, once meses y dos días, y cuando por fin escampa, poco a poco Macondo acaba por desaparecer de la Historia. La novela termina con la muerte de los últimos Buendía y así se cierra el tiempo sin que ya nadie pueda lanzarse al intento de iniciar vida nueva (en Macondo). Más aún: se cierra *como si* fuese un círculo —como si Ursula tuviera razón—, ya que el final llega cuando el último Buendía (un Aureliano) descifra por fin el viejo manuscrito del gitano Melquíades, en el cual se contaba de antemano (*sub specie aeternitatis*) cómo iba a acabar todo.

¿Punto final igual a punto de origen? ¿Apasionante «circularidad» de la que tanto ha hablado la crítica? No puede dudarse, desde luego, que García Márquez pretende aquí que creamos en una «circularidad» de la Historia (o, por lo menos, de su «historia») en la que no creían los personajes que se echan al monte en *La mala hora:* si no fuese ello así, no empezaríamos con un «flash-back» del coronel Aureliano Buendía, no se casi repetirían tantos nombres y situaciones y no tendríamos dentro de la novela el manuscrito de Melquíades en que está ya (¿desde la eternidad?) narrada toda la historia de la novela. El lector que —como Alonso Quijano en los libros de caballerías— se haya enajenado plenamente en tal juego de ficciones, cerrará *Cien años de soledad* convencido de que, en efecto, ha cerrado un círculo. Pero en cuanto analizamos críticamente el texto, tanto en sí como en su relación con la Historia de Colombia, resulta que: el momento del «flash-back» del coronel Buendía, con el que se abre la novela, no es el final de la novela; el contenido del «flash-back» no es ni el principio ni el fin de la historia que se nos narra; tras la primera docena de páginas, el resto de la narración es fundamentalmente lineal y cronológico (8); las variantes de

(8) No entiendo, por tanto, las palabras de José Miguel Oviedo, quien tras de admitir que «el relato adopta una apariencia virtualmente lineal» en la que «apenas» se encuentra «una moderada retrospección» al principio, afirma que, sin embargo, «en realidad, el tiempo de la novela no es sucesivo o cronológico, sino cíclico» (*Nueve asedios*, p. 102). ¿Qué significa decir que

hechos y rasgos psicológicos hereditarios de los personajes son eso, variantes, y nunca repeticiones absolutas (o sea: en el desarrollo histórico de la genealogía, porque cada individuo necesita de un «otro» para crear, cada uno de los Buendía es necesariamente único). Cierto que en los nombres de los personajes encontramos no sólo variantes (José Arcadio, Arcadio, Arcadio José...), sino repeticiones absolutas; pero, por una parte (dos Ursulas, dos Remedios, dos Amarantes, tres José Arcadios), no hace falta recurrir a «mitologías», «fábulas» o «círculos», para explicarse este fenómeno en cien años de la historia de una familia, en tanto que el único caso verdaderamente extremo (20 Aurelianos) se explica fácilmente si recordamos que 17 de ellos son hijos de remotas —y diversas— «campañas» del coronel Aureliano Buendía, que tal vez sólo dos de los 17 tienen papel de cierta importancia en nuestra novela (la que *nosotros* leemos), y que los más de ellos ni siquiera aparecen. Por lo que se refiere a los hechos de la Historia de Colombia en los que la narración está inserta, baste afirmar que —piense lo que piense Ursula de las idas y venidas de su hijo el coronel— ninguno de ellos es repetición de sí mismo.

¿Y el manuscrito de Melquíades en el que desde el principio de la novela —y se supone que desde

---

«el tiempo de la novela no es sucesivo o cronológico» cuando: (a) la narración es lineal y (b) el tiempo que trascurre de punta a punta, los cien años de los Buendía y de Macondo, quedan registrados en normal progresión histórica? Es de sospechar que Oviedo —como los demás que así hablan de *Cien años...*— confunde la novela con la fantasía de sus personajes, un poco como quienes confunden el *Quijote* con don Quijote.

antes— están simultáneamente escritos el principio, el final y todas las partes de la misma («Melquíades no había ordenado los hechos en el tiempo convencional de los hombres, sino que concentró un siglo de episodios cotidianos de modo que todo coexistiera en un instante»)? Ya que tanta es la sutileza de quienes, borgianos a su modo, insisten en hablar de círculos, indicaremos —recordando a Espinosa— que por más que en la visión panteísta de la existencia todo instante sea la eternidad y todo lo que sucede en la Historia esté ya en la mente de Dios, ello no implica necesariamente ninguna circularidad en el desarrollo de la Historia. Difícil es, desde luego —si no imposible—, concebir una simultaneidad eterna como acontecer (¿aunque «Ser»?) a la vez ya cerrado pero infinitamente abierto; sin embargo, así ha de concebirse y el que en la «mente» de Dios una cosa ya esté hecha —simultáneamente con todas las cosas— no tiene por qué significar que su acontecer histórico sea el punto de círculo ninguno. El manuscrito de Melquíades ha de entenderse, pues, a la manera como en el *Quijote* entendemos los papeles de Cide Hamete Benengeli, como la «metanovela» de nuestra novela; «metanovela» en la que, por lo demás, la visión oracular («El primero de la estirpe está amarrado a un árbol y al último se lo están comiendo las hormigas»), aunque sea instantánea y eterna, para que alguien pueda leerla ha de desarrollarse también cronológicamente. Pero nosotros no leemos la «metanovela»: ni vivimos en lo eterno, ni es para nosotros el novelista Dios —por más que Vargas Llosa así lo crea (9)—; a nuestro temporal nivel y frente a la novela, lo que encontramos, si miramos bien, es una narración lineal y cronológica.

Si tomamos en cuenta que el momento de la Historia de Colombia en que se cierra *Cien años de soledad* es anterior al tiempo histórico de los primeros cuentos y de *La mala hora* (10), resulta que la única «circularidad» con que tropezamos es la de un autor que vuelve atrás varios años con la intención de colocar a sus lectores de 1967 en el estado en que se encontraban sus personajes todos con anterioridad al inicio de la guerrilla de *La mala hora* (1961-1962): en la ilusión de que la Historia es soledad de tiempo circular, cerrado, y, por tanto, en la idea de la inutilidad de toda actividad histórica. Pero García Márquez no ha podido —o no ha querido realmente— demostrar ni que su novela ni que la Historia sean «circulares». Lo que encontramos, en cambio, es un conflicto, una contradicción radical en la que, por un lado, el novelista revela tener consciencia del desarrollo dialéctico de la Historia, así como de la relación dialéctica entre realidad y ficción, en tanto que por otro parece querer hacernos creer que tales relaciones no existen.

---

(9) *Nueve asedios*, p. 143.

(10) El dato clave es el tren. Cuando aparece en *Cien años de soledad*, tiene 140 vagones; al hundirse Macondo en la miseria post United Fruit, queda ya reducido a tres vagones: con tres vagones reaparece una y otra vez en varios de los cuentos y en *La mala hora* (obras escritas, insisto en recordarlo, *antes* de *Cien años...*).

Lo que debe llevarnos a preguntar: ¿qué puede haber ocurrido entre *La mala hora* y *Cien años de soledad* para que haya cambiado tan radicalmente la visión del mundo de García Márquez en ese su retorno al estancamiento anterior a la resolución que aparecía como posible en *La mala hora?* Desde luego, según ha notado ya la crítica (11), estamos frente a un notable cambio de estilo: prodigiosa libertad verbal en *Cien años de soledad,* una mucho mayor tendencia a la fantasía, más metáforas, más símbolos, una extraordinaria y brillante destreza en la elaboración de oraciones, párrafos y capítulos enteros característicos de la llamada «literatura fantástica» (se arranca con sencillez, con aparente apego a la realidad y a la lógica de todos los días, y de repente, una frase, una metáfora, un recuerdo ligeramente desquiciado nos alzan en vilo y entramos a un universo con leyes propias en el que ya todo es posible, como, por ejemplo, el insomnio contagioso), etc.

Pero no podemos conformarnos con saber *cómo* (y, por tanto, con qué consecuencias internas) funciona el estilo de *Cien años de soledad* frente a los cuentos anteriores o frente a *La mala hora,* aunque un análisis detallado podría rendir varias monografías para satisfacer tal vez a quienes, como Carlos Fuentes, repiten ya monótonamente que lo que de verdad importa de la «nueva novela» hispanoame-

---

(11) Cf., por ejemplo, en *Nueve asedios...,* los ensayos de Carballo y Vargas Llosa.

ricana es la revolución verbal que en ella se ha operado y que —por ella— transformará el continente (12). La vieja y apenas remozada inversión de las relaciones entre la realidad y su representación literaria implícita en tales ideas no puede impedir que preguntemos por el porqué: por las posibles causas, no literarias, de tal cambio de «estilo». Si así lo hacemos, nos resulta inevitable recordar ciertas realidades elementales de la Historia de América: como, por ejemplo, que entre 1957 y 1961 (fechas de «El coronel...» y de *La mala hora*) ha triunfado la guerrilla cubana, la cual bien podría ser el modelo que aliente a los jóvenes que se lanzan al monte al final de *La mala hora*, con lo que parecen sacudirse hacia la libertad las consecuencias terribles del «bogotazo». En cambio, entre 1961 y 1967, fechas que enmarcan la larga pausa que va de *La mala hora* a *Cien años de soledad*, y fechas entre las cuales García Márquez ha sido y dejado de ser corresponsal de «Prensa Latina», han fracasado al parecer (o se han estancado) la guerrilla colombiana, la venezolana, la peruana y la guatemalteca; ha sido detenida la revolución en Santo Domingo por obra y gracia de la invasión norteamericana; ha muerto Camilo Torres (y falta muy poco para que muera el Che). Como consecuencia, me atrevo a sugerir que lo que ha ocurrido entre *La mala hora* y *Cien años de soledad* es una pérdida de la esperanza que, en García Márquez como en tantos otros casos, lleva a la negación de la Historia vía la creación de mitos (o refe-

(12) Cf. en este mismo libro el ensayo sobre Carlos Fuentes.

rencias a «metanovelas» oraculares) y por la creación —por lo demás nada nueva— de estructuras seudo-circulares.

Es parte esencial de esta actitud antihistórica la voluntad de mistificación que se objetiva en la constante confusión de lo real (o verosímil) con lo imaginario fantástico (inverosímil o incluso absurdo). Así, vemos cómo todo a lo largo de *Cien años de soledad* —y es ello voluntad de estilo que ya ha señalado la crítica—, de manera prodigiosa, se confunden constantemente los dos planos: traen los gitanos a Macondo una máquina de daguerrotipo, cosa perfectamente real, pero traen también alfombras que vuelan (lo cual, por cierto, hará que años más tarde parezca absurdo que Gastón quiera traer un aeroplano); traen el hielo, cosa que existía y existe, pero es prodigioso absurdo, fantasía pura, pensar que puedan haberlo traído a Macondo sin que se derrita (13); José Arcadio Buendía tiende a dispararse en fantasías alocadas, pero con ellas, o anda a la busca de cosas prácticas (quiere montar una fábrica de hielo, por ejemplo: no se puede ser más utilitario en el trópico), o emplea cosas muy prácticas, como la máquina de daguerrotipo, para fines disparatados (como querer retratar a Dios); la realidad de la Historia colombiana del siglo XIX se transfigura en la ficción de las batallas de Aureliano Buendía, etc.

Todo lo cual entusiasma a la crítica, que ve en

---

(13) Cf. en el artículo ya citado de Iris Zavala, en su versión de *Homenaje*, pp. 201-202, una referencia de Drake al hielo que vendían los árabes en el calor de Marruecos.

Cien años de soledad un «prodigioso enriquecimiento» (14) con respecto a la obra anterior de García Márquez, un hacer «ficción» que se justifica exclusivamente porque «resulta entretenida» (15), «una prosa de pasmosa invención situacional» (16), etc. Todo lo cual es cierto, así es; pero en el entusiasmo se han pasado por alto, entre otros, dos detalles. El primero, que una cosa es la «prodigiosa» fantasía del autor y otra muy distinta que esa fantasía sea el vehículo para justificar, frente a la realidad, la fantasía de los habitantes de Macondo, que no se funda sino en una inevitable pero lamentable ignorancia de la realidad. No es extraño, desde luego, que la ignorancia, el aislamiento (en este caso: creer que se vive en una isla) de las gentes de Macondo resulte en que la llegada de regidores, de la escuela, la electricidad, la United Fruit Company, les parezcan fantasía —algo así como cosa de gitanos—, puesto que una y otra vez en la Historia de América y en la de todo el Tercer Mundo (caballos de Cortés, cañoneros en el Yang Tse Kiang) han sido sorprendente aparición los trenes de 140 vagones, 20.000 obreros transplantados, el señor Brown, la United Fruit y las señoras americanas con *sweaters* amarillos y pantalones cortos: molinos que la ignorancia y la imaginación puedan transformar en gigantes. Pero con esta diferencia entre Cervantes y García Márquez: que donde el «inventor» del arte de novelar mantiene la distancia irónica, y, por

(14) *Nueve asedios...*, p. 142 (Vargas Llosa).
(15) *Op. cit.*, p. 97 (Oviedo).
(16) *Op. cit.*, p. 122 (Rama).

tanto, no se identifica con la ignorancia y la locura de su héroe, García Márquez pretende que, como Ursula, veamos el mismo tipo de fenómeno en la llegada de las alfombras voladoras y en la de la United Fruit Company. Y con esta diferencia entre los aislados e ignorantes Buendía y José Arcadio y los 20.000 obreros: que el conocimiento que estos últimos adquieren en el trabajo, como todo conocimiento, derriba fantasías y permite distinguir entre las alfombras voladoras y la realidad, por desgracia muy distinta, de la United Fruit Company. Aunque a Ursula todo le parezca lo mismo.

Con lo que llegamos al otro aspecto clave de la novela que la crítica también pasa por alto, y que es cuestión de estructura y estilo: con la llegada de la «Yunai», con la huelga y con la matanza de los 3.000 obreros y sus familias, por primera vez en la novela, lo haya querido así García Márquez o no, toda fantasía queda rebajada a ras de tierra. No importa mayormente precisar si ello se debe a que el novelista se encuentra aquí frente a uno de los hechos más brutales de la Historia de Colombia, antecedente de terribles desgracias, o a la culminación de una historia ya de por sí terrible, o a que la casi contemporenaidad del hecho le toca de manera muy directa (17). El caso es que tras la «mis-

(17) Van cuarenta años, casi justos, de la matanza de Magdalena (1928), modelo «real» de la de Macondo, a la publicación de *Cien años de soledad*. Los puristas del concepto de «generación» tal vez dudarán, por tanto, que pueda hablarse de «contemporaneidad» en este caso. Por una parte, sin embargo, hay que tomar en cuenta —como lo han hecho ya algunos críticos— el hecho del impacto de tal matanza en la conciencia de la niñez de García Márquez. Por otra parte, y quizá sea ello incluso

teriosa» llegada del tren de 140 vagones, cambia el ritmo de la novela, su andadura y su estilo, y pasamos a una sostenida narración de corte realista en que resulta perfectamente claro lo que significa la United Fruit Company según asistimos a cambios económicos, sociales y políticos perfectamente relacionados con su contexto internacional, nacional y local, y asistimos, por tanto, a un despertar violento de la conciencia histórica de los personajes alertas; despertar sin el cual no se explicaría que José Arcadio Segundo rompa la soledad cerrada de los Buendía y decide entrar en una historia que cae de este lado de toda «prodigiosa fantasía».

Hasta este momento, de ser necesario, hubiéramos podido distinguir en la novela lo aceptable desde la realidad y lo fantástico (las alfombras del daguerrotipo, por ejemplo), aunque el arte del novelista, su lograda voluntad de que no hiciéramos tales diferencias, el hecho de que de esa indiferenciación trataba la novela, impedía que surgiera en el lector tal necesidad. Pero he aquí que, sin disfraz ni confusión, la realidad descrita de manera realista ha irrumpido brutalmente en la soledad de Macondo y los Buendía, violándola para siempre: ante la llegada de la United Fruit se acaban —diríamos— las

---

más importante, son el «bogotazo» (1948) y la vida y muerte de Jorge Eleicer Gaitán el centro justo de la relación entre el crimen de Magdalena y la publicación de *Cien años...*: García Márquez empieza a escribir entre 1947 y 1955, y ya hemos indicado la relación que existe entre la opresión dominante en las primeras obras y el «bogotazo»; Gaitán, en el Congreso de Colombia, acusa a su gobierno del crimen de Magdalena el 3 de septiembre de 1929, y es asesinado durante el «bogotazo» el 9 de abril de 1948.

idas y venidas de los gitanos. ¿Podremos ya —el novelista y nosotros sus lectores— volver a los juegos de fantasía? Huyendo del Caribe y de recuerdos del pirata Drake, José Arcadio, el patriarca, había soñado, a una vez, con armonías tribales y adelantos de la civilización: ¿resolverán sus descendientes tal contradicción, revelada insoslayablemente por los actos de los descendientes del pirata inglés? Gran tema de la nueva literatura americana, sutilmente y con detalle elaborado, por ejemplo, en *Los pasos perdidos*, de Carpentier, al que la imaginación de García Márquez nos lanza con una fuerza y brillo tal vez insuperables. ¿Es ésa la resolución final de *Cien años de soledad*, su último sentido?

Poco después de la matanza de los obreros y sus familias, «empezó a llover torrencialmente». Coincidiendo con la lluvia, los sobrevivientes de Macondo empiezan a negar que hayan muerto 3.000 personas, y poco a poco según Macondo se va despoblando (y según los últimos Buendía van, en efecto, quedándose solos), acaban por negarle toda realidad al sangriento episodio. Y es aquí, según entramos al capítulo siguiente, cuando leemos que «llovió durante cuatro años, once meses y dos días». Y ahora sí se borra la memoria de todos en tanto que la historia de Macondo sigue un rato más, alucinante —pero un poco aburrida ya—, hasta que al final sólo quedan calles vacías y un tren de tres vagones del cual casi nunca baja nadie en Macondo.

El significado simbólico es clarísimo y es claro también que García Márquez, como otras veces antes en esta novela, ha cruzado lo verosímil con lo fantástico, concediéndole a la fantasía valor mítico más que suficiente para que el lector olvide los hechos que en verdad llevaron a la destrucción de Macondo. Pero han sido demasiadas las páginas de corte realista, demasiados los años —pasan de cien— de misteriosas llegadas de ferrocarriles a los pueblos de América, demasiadas las huelgas, matanzas y «bogotazos», y ni en Macondo ni en el Pacífico colombiano ha llovido ni puede llover jamás durante cuatro años, once meses y dos días. Sin necesidad de ser un Sancho, pero distinguiéndose bien de don Quijote, el lector consciente sabe de sobra que lo que ha ocurrido para terminar con Macondo y los Buendía es lo que García Márquez, tras haberlo expuesto con absoluta claridad, en este momento esconde, y que aquí, de manera ya indiscutible, la fantasía que antes se cruzaba y fundía con la realidad en «prodigiosa» y «pasmosa» invención, es el instrumento con el que quiere borrársele al lector todo recuerdo de la realidad. En las ficciones publicadas por García Márquez antes de *Cien años de soledad,* la lluvia era símbolo de una realidad histórica que el novelista no escamoteaba; aquí se pretende que el símbolo ocupe el lugar de la realidad misma (realidad, no lo olvidemos, a la que el novelista, y no nosotros, ha recurrido para armar su ficción). Al así pretender que el símbolo sea la realidad misma, el novelista apunta hacia soluciones falsas del problema por él mismo creado (o recreado) de manera tan original y compleja.

* * *

Pero se dirá tal vez —porque ya se ha dicho— que así es América, fusión y confusión de realidad y mito, lo quiera o no quien esto escribe. Si con ello se pretendiera recordarnos que existen la ignorancia, el fetichismo, el miedo, la mitología y el pesimismo enfrentados al realismo, el valor, el análisis, la clara voluntad de cambio y progreso, y que —por lo demás como en todas partes— constantemente se nos quieren hacer pasar símbolos por realidades, difícilmente podríamos negarlo. Pero negaremos, por una parte, que América sea, como propone Iris Zavala, un «espejismo» donde todo «se repite en círculo constante» (18); y, por otra, negaremos que la labor del intelectual —novelista o no— debe dirigirse a perpetuar la ignorancia y los mitos, en vez de buscar sus raíces históricas y someterlas a la crítica más severa.

Al negar así estas cosas —que no el talento fabulador de García Márquez ni los mejores momentos de *Cien años de soledad*—, negamos también: que «el novelista es Dios», según afirma Vargas Llosa de los novelistas en general y de García Márquez en particular (19); y que el lector deba acercarse a una novela, a cualquier novela, en la forma pasiva, acrítica y alienada en que, por ejemplo, se acercaba Alonso Quijano a las novelas de caballerías. Producto de la labor de un hombre, una novela —al igual que un poema o cualquier otro instrumento de comunicación— se dirige a otros hombres y para algo: no hay teoría estética formalista que pueda impe-

(18) Iris M. Zavala, *op. cit.*
(19) *Nueve asedios...*, p. 143 (Vargas Llosa).

dir que nos enfrentemos con una novela, como con cualquier otra realidad, polémicamente, críticamente, atendiendo a la vez a su coherencia interna y a su relación con el momento histórico en que se produce.

Al leer así *Cien años de soledad,* como leemos cualquier otro texto o mensaje, hemos encontrado una lucha entre el mito y la realidad, la ignorancia y el conocimiento, y hemos visto cómo García Márquez resuelve arbitrariamente la contradicción exaltando la ignorancia y el mito. Se nos dice —de casi todas partes— que en ello ha de encontrarse la fuente de una belleza que mana de la absoluta «libertad» fabuladora del escritor. Podría ser García Márquez el primero que llegue un día a rechazar tan alocado elogio de nunca usadas humanas libertades: es demasiado su talento, ha vivido al derrotado pero paciente coronel con demasiado cariño y respeto, y en la narración en que se cuenta la historia de sus últimos años, en «El coronel no tiene quien le escriba», se dice que «todo será distinto cuando acabe de llover». Esperémoslo, aun a sabiendas de que, como dice también el coronel, tengamos mientras tanto que comer «mierda»; porque a fin de cuentas —y cito de nuevo al viejo guerrero—, seguramente será cierto que es el nuestro «un gallo que no puede perder», ya que lucha armado del conocimiento de que América no es un «espejismo», sino difícil realidad que se forja día a día, históricamente.

SOBRE LA «REIVINDICACION DEL CONDE DON JULIAN»: LA FICCION Y LA HISTORIA

Un español se pasea por las calles de Tánger. Observa, entre muchas otras cosas, cómo un grupo de turistas americanos se acerca a un encantador de serpientes y cómo uno de ellos, Mrs. Putifar, «La Hija de la Revolución Americana», se deja colgar la serpiente al cuello. «Es la escena de todos los días», comenta quien observa; y el lector sabe, en efecto, que, como todos los días, la «Mrs. Putifar» de turno no corre ningún peligro mientras posa para la fotografía en que quedará grabada esta etapa de su «exótico» viaje. «Pero», añade en seguida el personaje narrador, «cambiarás el final». ¿Por qué? «Estímulo exterior: ¿cólera súbita?: ¿las dos cosas a un tiempo?: nadie lo sabe ni probablemente lo sabrá jamás: el hecho es que la serpiente sale de su letargo... se enrolla como una soga alrededor del cuello enjoyado de la mujer: ... Putifar hace esfuerzos desesperados por mantener el equilibrio: ... cuando se derrumba de golpe... su máscara se ha vuelto negra y un líquido hediondo escurre de sus labios: no cabe la menor duda: la ponzoña es mortal: la llegada imprevista de un carro mortuorio dispersa la imantada multitud y pone punto final al macabro "happening"» (pp. 66-68) (1).

Ha de entenderse que quien narra tal «happening» no tiene la menor intención de engañarnos: es ésta una de las varias alucinaciones o espejismos que sufre (o provoca) a lo largo del día y al contarlo no pretende en absoluto que confundamos la realidad con la ficción. «Cambiarás el final», se dice a sí mismo, y, en efecto, lo cambia arbitrariamente; su libertad de invención no consiste en trabas de ningún género, y «el hecho es que» aunque Mrs. Putifar reaparezca perfectamente viva más adelante, muere en esta escena porque la ficción que está creando el narrador es un universo autónomo con leyes propias. La relación entre la realidad y la ficción es, pues, por una parte puramente accidental, y por otra declaradamente arbitraria (donde el único árbitro es el novelista).

Este libérrimo espejismo, que no afecta para nada a la Mrs. Putifar que de verdad visita Tánger (ni a la relación de USA con el mundo subdesarrollado que la escena podría simbolizar), es uno de los varios espejismos que se dan en el contexto del gran espejismo que es la *Reivindicación del conde don Julián:* la nueva invasión árabe de España (que, en rigor, será sólo invasión de Castilla), en la cual se violan las más «sagradas», «nobles», «puras», «esencias», «tradiciones», etc., de «lo español» (re-

(1) Cito en todos los casos por la primera edición de la *Reivindicación del conde don Julián,* México, D. F., 1970.

flejado, especialmente, en la vieja retórica que explica una y otra vez la unidad que encuentran en la casta dominante los viejos tópicos del honor, el senequismo y el arte «estoico» de Manolete). Invasión de las huestes de Tariq que esta vez se logra no sólo con caballos, espadas y tambores, sino también con helicópteros, «walkie-talkies» y serpientes violadoras del coño prohibido: como debe ser en un mundo en el cual, a la vez que «Ulyan cabalga» con Tariq (p. 192), James Bond, en película que se anuncia en Tánger con grandes carteles («Operación Trueno»), avanza «impertérrito hacia la orquesta de calypsos, bajo la dorada luz de los focos» (p. 186).

El espejismo es posible no sólo gracias a la alineación que significa la presencia de James Bond en las pantallas de Tánger, sino porque el nuevo Julián fuma hashish en un café del que el nuevo Tariq es propietario. Las referencias a lo uno y a lo otro son claras a lo largo del texto: no se engaña el novelista y no tiene la menor intención de engañarnos. Al contrario, es voluntad suya que entendamos bien que todo lo que en su novela ocurre es un espejimso (y de ahí que más de una vez emplee él mismo la palabra). Por ello la novela termina cuando el narrador-observador, de vuelta en su habitación, abre «el libro del poeta» (que es Góngora) y nos dice lo que se dice a sí mismo: «Mañana será otro día, la invasión recomenzará» (p. 240).

La invasión que no ha ocurrido «recomenzará» a dos niveles distintos: en la imaginación del nuevo Julián y en cada nueva lectura (o lector) de la novela. Porque, y es lo que importa, al nuevo Julián no le ha bastado con la pasividad ni de la fantasía ni de la grifa, sino que ha sido llevado a escribir una novela. La que da realidad a los espejismos más allá de la rabia, la nostalgia o los efectos del hashish es, pues, la estructura lingüística en que ha tomado forma la voluntad rebelde del nuevo Julián, que por ello funciona así no sólo bajo los auspicios de James Bond, sino de Góngora: «el poeta».

Pero que no caiga el lector en trampas que *no* le tiende el novelista: el enorme *tour de force* que significa esta narración construida toda en segunda persona no pretende sino dar forma novelística revolucionaria a un sueño. Los sueños del nuevo Julián se realizan sólo (¿y qué otra cosa le pediremos a un personaje-novelista?) en cuanto ficción: ni Mrs. Putifar morirá tampoco en la nueva lectura, ni habrá sido invadida de nuevo España por Tariq y sus huestes. Como en una película de James Bond («Operación Trueno»), estamos, pues, al parecer, ante la ficción por la ficción misma: «Todo parecido entre personajes de esta pantalla y la realidad, etc., es puramente accidental», podríamos repetir con el cine. Más aún: la *Reivindicación del conde don Julián* sólo se distingue de cualquier otra novela en la voluntad declarada del autor de crear su ficción con arbitrariedad absoluta, sin y contra toda realidad extraña a la estructura misma de la ficción («cambiarás el final»). Cervantes jugaba a confundir los planos y a confundirnos; Unamuno, en *Niebla,* repite el juego haciendo como que no se atreve a «suicidar» a Augusto Pérez. Goytisolo, llegando al extremo absoluto de una tendencia de la novelística contemporánea, hace y deshace como quiere y lo declara paladinamente: muy lejos parece estar él, en esta obra, de pensar que pueden confundirse «literatura» y «realidad». Por lo que a los lectores respecta, no debemos olvidar nunca los errores de Don Quijote y Mme. Bovary: toda novela es ficción, y tanto si hablamos de novela de caballerías como de novela de la Revolución mexicana, lo fundamental, lo no adjetivo ha de ser novela: estructura autónoma de la realidad.

* * *

Pero a quien conozca a Juan Goytisolo en su obra novelística y en sus ideas se le hará difícil creer que la compleja estructura lingüística que aquí ha montado con voluntad estética revolucionaria, con talento, mucho estudio y enorme ánimo polémico, carezca de la pretensión de ser, en algún modo, como la realidad «exterior» a ella; es decir: de ser algo más que ficción libre de toda relación con lo ajeno a sí misma. Juan Goytisolo ha concebido siempre sus ficciones, su palabra, en relación dialéctica con toda realidad, y muy concretamente con la realidad histórica española: no creemos que haya cambiado su actitud en esta novela. El mismo lo ha declarado: «No se trata de una búsqueda gratuita lo que he hecho en *Don Julián*... No es puro juego verbal o arte por el arte» (2). La *Reivindicación del*

---

(2) Cf. entrevista en la revista *Tlaloc,* Nueva York, primavera de 1972, pp. 8-9.

conde don Julián nace, sin lugar a dudas, del «estímulo exterior» y de la «cólera» largo tiempo agazapada, y se dirige no sólo a revolucionar el arte de novelar, sino todo ese mundo «exterior» a la ficción que es España.

¿Cómo casar esta idea con la lectura de la *Reivindicación...* que hemos hecho en nuestro primer apartado? Se trata de una paradoja tan antigua como el primer escritor que declaró la independencia de su obra respecto a la «realidad», sin dimitir por ello de sus mejores intenciones de transformar en lo posible «la realidad» con su obra. El poema o la novela son realidades «en sí», libres —según decía Cocteau hace ya muchos años— como el globo que rompe amarras; pero de algún modo hemos de creer que es precisamente su ensimismamiento lo que garantiza su poder de comunión. ¡Y qué piruetas para que se les deje en paz a ellos y a sus obras, para que no hagamos lecturas «extraliterarias» de sus novelas o poemas, a la vez que reivindican su derecho a meterse ellos y sus obras donde, en toda lógica, no podrían meterse si las ficciones que crean no fuesen regidas de modo alguno por todo lo ajeno a sí mismas! Sólo algunos —muy pocos— espíritus lúcidos, coherentes, verdaderamente responsables de lo que piensan han sabido aceptar todas las consecuencias de la estética que —para entendernos y para no perder noción de su antigüedad— llamaremos vanguardista: T. E. Hulme, por ejemplo, cuando declaraba que el poema y la metáfora son estructuras autónomas y arbitrarias y que, por tanto, por referencia a la realidad, son un puro juego, no «significan» nada, no «revelan» nada, no «dicen» nada. (Después, lo mismo vendría a decir más aparatosamente *Dadá.*)

Sin embargo, sabemos que esta lógica absoluta no se sostiene ante los hechos y que tienen razón quienes proclaman, a una vez, la autonomía de la obra de arte y su capacidad, mayor o menor, de «transformar» el mundo (ser «útil», dirían los clásicos). Precisamente porque existen más allá, o más acá de la pasividad de la fantasía o de los efectos del hashish, el poema o la novela están insertos en la realidad total; de ella se originan y por ella se ven afectados en su origen y en su Historia, a la vez que afectan y transforman toda realidad «exterior» a sí mismos (inclusive, claro está, la Historia literaria). Tiene, pues, derecho, obligación, el escritor de exigir que se permita a su obra llegar a esa realidad que espera transformar; pero, por tanto, tiene a su vez el lector la obligación de enfrentarse con cualquier texto literario, especialmente un texto de pretensiones «revolucionarias», desde una realidad total cuya transformación sólo ha de lograrse con la ayuda de un riguroso análisis objetivo.

Por tanto, o nos quedamos en la primera lectura de la *Reivindicación del conde don Julián,* de la que queda excluida la «paradoja» central a toda creación literaria, y en la que se hace caso omiso de que los lectores van a extraer de ella lecciones de ficción y de realidad, o hemos de detenernos a considerar cómo y con qué previsibles consecuencias se relacionan sus espejismos con la «realidad» que los origina y a la que se dirijen. «Realidad» que, no podemos dudarlo, es, en frase de Américo Castro, tan admirado por J. Goytisolo, «España en su Historia».

* * *

Esta España, según frase de *Señas de identidad,* es «el Reino de los Veinticinco Años de Paz». Pero claro está que esos «Veinticinco años» no se inician de la nada: son —por el momento— la cima de una vieja historia a lo largo de la cual, con similares o distintas estructuras, no es difícil encontrar modos de comportamiento social o individual tan parecidos a los de hoy o tan premonitorios como para justificar la creencia de que España es, o ha sido siempre, una e inmutable (no en balde se alude constantemente a una continuidad que en tiempos «modernos» viene por lo menos desde Felipe II y Fernando VII): difícil sería distinguir el machismo actual del comportamiento del *Médico de su honra;* doña Perfecta tiene antecedentes en los progoms medievales o en el antierasmismo y su sombra sigue proyectándose en la chismografía persecutoria de la Calle Mayor de provincia; antiguas conquistas y colonizaciones son hoy una retórica de la Hispanidad que deja de ser grotesca cuando recordamos las presentes relaciones de España con «América», etc.

De todo ello, por lo menos desde tiempos de Calomarde y Larra, suelen dársenos dos versiones: la triunfalista y la pesimista. La versión triunfalista, porque ha sido y sigue siendo la dominante, baraja a su antojo los antecedentes históricos e ideológicos

(Viriato, don Pelayo, Tercios de Flandes, Séneca, Calderón, Balmes) que justifican la continuidad de su dominio. Los símbolos y los hechos son todos de su propiedad, porque los que no corresponden a la idea necesaria quedan excluidos desde el poder, y tanto en la manipulación de la «Historia» pasada como en la de la «idea de la Hispanidad» que de esa posesión se deriva, asistimos a una sola operación doble: el control de los datos es, a la vez, un suplantar la realidad histórica por la ideología. Desde ese control, porque se borran —en lo posible— las huellas del acontecer histórico en su base, puede predicarse casi impunemente el sermón del predominio de la idea sobre la materia: la meta de la conquista de América es difundir la fe; el latifundio es parte de la estructura indiscutible e inmutable del Gran Teatro del Mundo; la misión del Ejército es mantener vivas las nobles esencias de la Tradición; el desorden administrativo y la carencia de organización técnica son quijotesco —y tal vez hasta senequista— despego por las cosas vulgares de este mundo; la emigración por hambre es aventura de gentes de raza indomable, etc. Todo ello reelaborado insistentemente en discursos, la prensa, la radio, la televisión. Como la idea máxima es la de la Hispanidad (y se llega hasta el grado de celebrar homenajes poéticos al queso manchego), todo aquel que se oponga a ello intentando poner las cosas de pie de una vez por todas, y no ya de cabeza, ha de ser, necesariamente, «traidor» a la patria. «Traidores» fueron en su tiempo los erasmistas, los conversos, Moratín y los liberales, los de la Internacional, los de las dos Repúblicas, los del 98 en su juventud, los pocos bohemios y poetas malditos que ha tenido España, y muchos más. Pero el «traidor» máximo en toda la larga historia de España, el símbolo supremo de la traición, es, desde luego, el conde don Julián.

No es otra la España —actual, pero «en su historia»— que pretende invadir Juan Goytisolo; y como tenía que ser para entender las cosas en su más claro extremo, su héroe «traidor» es un nuevo conde don Julián.

Ahora bien, salvo casos de locura, toda invasión, además del impulso histórico que lleva a ella, exige un análisis cuidadoso y una clara definición de quién es el contrario (y, por tanto, de cuáles son sus fuerzas reales). En ciertos casos, especialmente cuando se sabe que la pura fuerza de uno no es suficiente para la victoria, la definición del enemigo debe poder servir para intentar aislarle, para fracturar la unidad en que se apoya, si es que acaso resulta que esa «unidad» es menos real que aparente (y tanto como a Tariq deberíamos sin duda recordar aquí a Hernán Cortés). Y, en todo caso, la definición del enemigo es parte de la definición que hace uno de sus propias fuerzas y de sí mismo como contrarios de lo que se pretende destruir. No menos se requiere para una «invasión» literaria de la realidad cuando en verdad, según parece ser el caso de Juan Goytisolo, se desea una transformación radical de ésta, i. e., cuando se quiere que el «cambiarás el final» se haga efectivo, y en especial cuando son *ellos,* los contrarios, quienes oficialmente controlan el arma literaria única, que es el lenguaje.

El narrador (que es y no es Julián) está, por supuesto, perfectamente enterado del problema; de ahí que declare que le (y «te» y «nos») «falta el lenguaje» (p. 192). Y el lenguaje «falta» porque lo han «secuestrado» los otros, que diría Carlos Fuentes: «reivindican con orgullo sus derechos de propiedad sobre el lenguaje, es nuestro... dicen, lo creamos nosotros, nos pertenece, somos los amos... esgrimen sus títulos de domino... patentado conforme a las leyes... depósito legal, marca registrada...» (pp. 192-193). Al escritor revolucionario le toca disputar la validez de esos derechos.

Se trata —en versión española de 1970— de la vieja y siempre justificada queja del escritor que para crear tropieza con el hecho de que su instrumento de trabajo es un bien mostrenco, propiedad de la «tribu». Si en algo se distingue esta queja de tantas otras como podría recordar el lector desde diversas lenguas y desde, por lo menos, el Romanticismo, es precisamente en ser española y contemporánea: el autoritarismo represivo de quienes dicen ser «los amos» actuales de ese lenguaje que llaman «nuestro» parece distinguirse claramente del control lingüístico «natural» y «libre» que opera en otros países de «Europa» desde que se rebelaba —digamos— Shelley, hasta más acá de Mallarmé, o Joyce, o Marinetti. Y aunque podríamos recordar censuras y juicios a Flaubert o Zola o D. H. Lawrence, aunque sólo sea para recordar que las llamadas democracias burguesas tienen conocidos límites de tolerancia, aceptaremos que, más que en otros casos (o tal vez haya que decir: al igual que todos los casos de estructura sociopolítica similar), el escritor español parece correr el riesgo de que el lenguaje se sirva de él, convirtiéndole así en servidor de quienes se sirven del lenguaje para enmascarar la realidad cambiante y ayudarse con ello en su dominio. Urge, pues, una bien definida oposición a quien así se apropia de lo que no es suyo porque o gana nuestro narrador o ganan *ellos:* la más mínima transgresión será severamente castigada si la invasión fracasa. De ahí la furia, el arte y las artimañas de quien escribe la *Reivindicación del conde don Julián.*

Lo problemático del asunto, lo que hace que nos parezca en parte un fracaso esta por lo demás notable aventura que es la *Reivindicación del conde don Julián,* lo encontramos en que Goytisolo, llevado de la necesidad de oponer lenguaje a lenguaje, llega a establecer una relación lenguaje-realidad similar, y no contraria, a la que manipulan los «carpetos» contra los que dirige su furia. Antes que el narrador, como si la realidad pudiese impunemente disfrazarse de lenguaje, *ellos* han dicho y repetido: cambiarás los hechos, cambiarás los datos, suplantarás la Historia por la ideología. Sólo que hay una diferencia fundamental entre los «carpetos» y nuestro novelista que decide arbitrariamente «cambiar» el final: lo que *ellos* se dicen a sí mismos se lo dicen también a otro(s) que obedece(n), de modo que lo que se dicen-dicen se hace (por lo menos a los niveles más obvios); en cambio, lo que nuestro narrador se dice a sí mismo no sólo se queda en ficción (y si va más allá es apenas al deseo), sino que ni siquiera en la ficción triunfa, y por eso se lleva a cabo sólo en apariencia, como en un juego: por algo, según hemos visto, Mrs. Putifar reaparece viva. La diferencia se debe a que cuando *ellos* manipulan el lenguaje, portador de la ideología, lo hacen desde el poder real que lo manipula todo, en tanto que Goytisolo, claro está, lo hace sin poder extra-lingüístico ninguno. El que la narración toda se mantenga en segunda persona revela claramente la dificultad frente a la que se encuentra el narrador: o el «tú» de la narración se dirige a un lector que no tiene por qué escucharle (literalmente, puesto que abunda el futuro: *obedecerle*), o se lo dirige el narrador a sí mismo: sin más fuerzas que las suyas propias no podrá ir mucho más allá de algunos «cambios» imaginativos. Puesto que se trata de llevar a cabo una «invasión» (concretamente: de la historia de España desde la ficción), el caso es grave y paradigmático. Tratemos de entendernos.

Parecen, en efecto, unos solemnes majaderos, fácil presa para el asalto, los «carpetos», que —como en su tiempo Darío frente a Roosevelt— explican, según les resume don Julián, que «si hemos perdido el cetro, el imperio, la espada, todos nuestros dominios en donde hace siglos no se / ponía el sol /, nos queda la palabra» (p. 193), puesto que —y ello queda debidamente consignado en la novela (pp. 194-195)— en América (se dan México, Buenos Aires y La Habana como ejemplos) hace ya tiempo que esa palabra es otra e independiente de —por lo menos—

la «Madre Patria». (Lección histórica que todo estudiante de latín vulgar, o sea, de historia de la lengua, debería recordar según el *Appendix Probi.*) Pero donde cuenta, es un hecho que son *ellos* quienes controlan la palabra, que la manejan oficialmente como suya y que, por tanto, operan con ella con tanta o más libertad (arbitrariedad) que Juan Goytisolo, porque lo que de verdad controlan son otras cosas. Es de suponer, por tanto, si se trata en serio de «invasiones», que ha de tratarse de quitarles ese poder. Difícil cosa cuando es uno realista y va sólo armado de palabras (que además controlan *ellos* desde lo que podríamos llamar censura global): de ahí que muera pero no muera —concepto místico reducido a fantasía— Mrs. Putifar.

Aceptamos, pues, que las narraciones que se hablan a sí mismas no podrán afectar para bien a la realidad; pero, por otra parte —y sonará a viejo para quienes repudian cierta literatura española de los años cincuenta y principios de los sesenta, a la que no pretendo aquí referirme—, proponemos que la palabra es también un arma siempre y cuando sirva para el análisis necesario a la toma consciente del poder. Así, por ejemplo, entre otras cosas, el «invasor» ha de preguntarse y hacer que nos preguntemos si España es tan «una» como se dice que ha sido y es (que tal «unidad» era falsa, entre otras cosas porque, según ha demostrado Américo Castro, en el año 700 no existía «España», es lo primero que ha de haber descubierto en don Julián aquel notable invasor que era Tariq); y ha de decidir, ante todo, porque de no hacerlo importará muy poco que la palabra sea o no sea un «arma», si las energías de la invasión van a dirigirse a asaltar la realidad o la proyección ideológica que ocupa su lugar.

Desgraciadamente, los supuestos analíticos desde los que Juan Goytisolo lanza la invasión con tal arte y furia asumen plenamente la versión que *ellos* nos han dado de la Historia de España, de modo que la tierra a invadir por Tariq-don Julián-James Bond (notorio *seudo*-violador del sistema) no es sino la versión que hemos llamado «pesimista» de la España de los «carpetos triunfalistas». Ha de entenderse aquí que lo que importa no es el «pesimismo», sino el hecho de que ese pesimismo —como, por ejemplo, el de Cadalso o el de Baroja— se deriva de la pretensión de atacar la opresión de siglos desde dentro del círculo único y cerrado que *ellos* definen como «la Historia de España», lo que no deja de ser paradójico estando don Julián, como está, fuera de España, en Tánger.

Por ejemplo, cuando *ellos* nos cuentan la Historia de España, porque pretenden esconder siempre la realidad tras la ideología, acostumbran saltar desde el principio del siglo XVII al presente: lo demás no es Historia verdaderamente española. Si se detienen en el siglo XVIII es para recordarnos lo poco que tuvo de castizo y lo nefanda que fue la influencia de la enciclopedia; cuando en el XIX, es para que no olvidemos que fue el caos (noble excepción: Fernando VII); si tocan el fin de siglo XIX es para atacar a los del 98 en cuanto rebeldes y ensalzarlos en cuanto «paisajistas» y «castellanistas». Se trata, en suma, de evitar o excluir toda «herejía» (puesto que «nosotros» = «los amos»). Ahora bien, léase atentamente la *Reivindicación del conde don Julián,* estudiése la lista de autores con cuya «participación póstuma e involuntaria» se ha escrito (p. 241), y se verá que, con raras excepciones (el «poeta», Góngora, la principal), al igual que lo hacen *ellos,* Goytisolo tiene como modelo de España una sola España, precisamente la que *ellos* dicen que es España. *Ellos* «unifican» España excluyendo a los herejes o haciéndoles decir lo que no dijeron, y así la «unifica» también Goytisolo, hasta el grado de que —mal estratega—, para los fines de su invasión todos los españoles son *ellos* frente a él, todos son esos «amos» que dicen «nosotros» y que le excluyen a él; lo que le obliga, por ejemplo, a confundir tranquilamente a Antonio Machado con *Azorín,* con José Antonio y con el *ABC;* o a casar a Blas de Otero (nada menos que en la frase quizá clave del libro: *nos queda la palabra*) con los soñadores de imperios, cuando ha de saber muy bien que la frase del poeta contemporáneo tiene sentidos completamente contrarios a los que quisieran darle los mitólogos de Séneca y de la «Hispanidad». Por lo demás —o más bien: por tanto—, no hay para Goytisolo en la Península clases; no hay siglo XVIII; no hay burguesía ni crisis del XIX; no recuerda que lo que dice él del lenguaje «castizo», o de Calderón, de Lope, de Quevedo, lo han dicho mucho antes otros (que podrían ser sus aliados), como por ejemplo algunos de los noventayochistas que tanto le irritan; y no hay Jovellanos; ni revueltas campesinas del XVII o del XIX; ni Anselmo Lorenzo; ni Internacional; ni más región que Castilla... Pero eso sí (¡y cómo no acabar creyendo en las virtudes de Fernando VII!), no falta el «vivan las caenas»; porque, según el narrador, el español —así no más— es el «hijo de la mugre y el garbanzo, mesiánico adorador de sus cadenas» (p. 126), «raza comedora de garbanzos, apelmazados y pétreos... hostiles al progreso y a la técnica, martillo de herejes, vivan las caenas, los eternos cruzados» (p. 143): «horteras investidos de televisión y automóvil, hinchas del fútbol, aficionados taurinos: exploradores domingueros de la sierra, obreros pobres y amaestrados...» (p. 148).

¡Tanto estudiar historia y tanto luchar por revolucionar la «técnica» de novelar, tanto «reivindicar» el lenguaje, para así olvidarse de tantos aliados como podría tener la invasión y así caer en tales lugares comunes! Lugares comunes, además, de los que *ellos* saben muy bien aprovecharse, ya que, si se tiene la fuerza para vencer, ¿qué mejor para convencer a un pueblo de «horteras» —palabra clasista si las hay— que ofrecerle el televisor?; para una raza de enemigos del progreso, ¿qué más justo que los sueños del Gran Imperio del Mundo? Y a los «obreros amaestrados», ¿qué forma de gobierno podrá serles más útil, en efecto, que la de Fernando VII? Virtudes de la raza-vicios de la raza: ¿quién hablará de «razas» sino *ellos*, y quién sino *ellos* querrá, así no más, violar a un pueblo cualquiera?

* * *

No se trata de exigirle a Juan Goytisolo que incluya en su novela toda la realidad española que de ella ha quedado excluida. Aparte de que es ya un poco tarde para ello, ha de quedar bien claro —si es que algo hemos aprendido en los últimos cincuenta o sesenta años— que una obra literaria es lo que es y no otra cosa; que es, de algún modo que no logramos todavía definir bien, un universo o estructura autónoma, y que un escritor maneja el material que quiera y no el que le hace falta. En gran medida, al igual que cualquier otro quehacer, escribir es excluir. Pero ahí, precisamente, está el problema. El novelista maneja lo necesario para crear la estructura autónoma que es su novela; pero ésta existe con alguna intención. Toda nuestra crítica de la *Reivindicación*... se ha basado en la idea de que, al no ser un puro juego onírico, su intención era «liberar» a España por medio de una invasión radical de su conciencia. Es de temer, sin embargo, que bien puede hacerse una tercera lectura que explique tanto las exclusiones como la inversión, por lo demás nada «revolucionaria», de las relaciones entre realidad e ideología; lectura que se basaría en reconocer la posibilidad de que tal vez lo único que quiere don Julián es que sea verdad lo que de él dijo Alfonso el Sabio: que sea «el su nombre siempre maldito de quantos del fablaren», según se le cita en el epígrafe de la novela. En este volver cien años atrás a la noción del artista como ser «maldito», cabe desde luego querer también —¡y otra vez!— lo que quería el marqués de Sade: ser causa «d'un désordre quelconque, et que ce désordre put s'étendre au point qu'il entraînât une corruption générale ou un dérangement si formel qu'au delà même de ma vie l'effet s'en prolongeât encore», según se nos advierte también en un epígrafe para que nos enteremos bien y no haya engaño.

Grave será si el lector no se da por enterado de la posibilidad de esta tercera lectura; y grave nos parece también que eso pueda ser lo que desea un autor que hace pocos años escribía *Señas de identidad* para ayudar —según decía— a «ver restaurada la vida del país y de sus hombres», dejando «constancia al menos de este tiempo». Pero tal vez no le vaya muy bien a Juan Goytisolo el papel que ha creado para su Julián-Tariq contemporáneo con la ayuda de James Bond y del nuevo formalismo (3). Y es de esperar, por tanto, que vuelva a recordar que la palabra ha de servir para desenmascarar los mitos, no para perpetuarlos. Sólo entonces será agente de transformaciones, y sólo entonces el doble sentido del título de su novela será un único y revolucionario sentido: reivindicación de lo que fue don Julián, y reivindicación que el nuevo Julián hace de la palabra creadora. Para eso, afortunadamente, y además de otras cosas, nos queda, problemáticamente, la palabra (4).

---

(3) Cf. entre otros autores que han influido en J. Goytisolo, Octavio Paz: «Cuando una sociedad se corrompe, lo primero que se gangrena es el lenguaje. La crítica de la sociedad, en consecuencia, comienza con la gramática y el restablecimiento de los significados» (*Posdata,* Siglo XXI, México, D. F., pp. 76-77). Es evidente también la influencia de Carlos Fuentes, de cuyas ideas sobre novela y lenguaje tratamos en el ensayo siguiente.

(4) En la citada entrevista de *Tlaloc* parece Goytisolo adelantarse a nuestra crítica de que confunde en la *Reivindicación...* a españoles de muy diverso género e historia bajo el nombre común de «carpetos», «raza» indivisible en su estupidez, etc.

Dice ahí: «Yo me di cuenta en un momento determinado de mi reflexión literaria que los escritores de izquierda... empleábamos las mismas muletillas, vivíamos los mismos mitos, teníamos las mismas fórmulas expresivas impuestas por la casta que ocupa el poder. O sea, que escriben igual el tipo que dice que es comunista y el tipo que dice que es falangista. Para combatir la sociedad el primer paso de un escritor ha de ser destruir sus fundamentos, la metafísica de esta sociedad, que es el lenguaje.»

Sería relativamente fácil demostrar que, en efecto, todos los escritores españoles de los años de juventud de Goytisolo trabajaban bajo «fórmulas expresivas impuestas»: bastaría tomar en cuenta para ello el factor censura (como, por lo demás, lo ha tomado ya en cuenta Goytisolo mismo en algún ensayo crítico). No podría dudarse entonces la importancia del poder; resultaría obvio también por qué los escritores jóvenes de entonces tardaron tantos años en llegar a la lectura directa de ciertos autores fundamentales para la concepción de la «nueva novela».

Mayor sutileza y trabajo requeriría demostrar que Goytisolo pasa de una verdad obvia a una afirmación falsa cuando declara que unos y otros usaban las «mismas muletillas». Pero bastaría tal vez recorrer unas cuantas revistas, novelas y poemas para ver que si los unos, por ejemplo, ensalzaban la «Hispanidad», los otros no la mencionaban; que si unos hablaban de «productores», los otros hablaban de «trabajadores»; que si unos recordaban acaso el frente de Leningrado, tales glorias brillaban por su ausencia en las obras de los otros, etc. Más aún, aunque al parecer menos obvio: que ese «lenguaje de la generación del 98» que, sin distinciones, le parece a Goytisolo «infecto» (¿creerá de verdad que es el de Juan de Mairena «un lenguaje que verdaderamente apesta»?, *loc. cit.*), si trataban de usarlo los unos, ello se debía a que los otros por mucho tiempo lo persiguieron. Tendremos hoy no pocos comunes acuerdos sobre aspectos negativos del lenguaje y otras cosas de algunos del 98; pero revela una casi inconcebible falta de rigor histórico no recordar cuántas obras de Unamuno, Machado o Valle-Inclán estuvieron prohibidas.

Tal falta de perspectiva histórica equivaldría —pongamos por caso— a suponer que la *dialéctica* es lo mismo que la *dialéctica de las pistolas;* y no ha de extrañar tal falta de historicismo en quien ha declarado que los «fundamentos» de una sociedad son su «metafísica». De donde pueden ya deducirse varias cosas; entre otras, que lo que hay que atacar para transformar la realidad (o sociedad, que dice O. Paz) es «el lenguaje».

Sospecho que lo que en estas declaraciones quiere decir Juan Goytisolo es que, por lo que se refiere al arte de novelar, los «escritores de izquierda» de entonces, por ignorancia y por empeñados en una versión simple del «realismo socialista», estaban tan al margen de lo que pasaba en el mundo de la novela moderna como los otros. La cosa merece estudio; pero no equivale a suponer que unos y otros usaban «las mismas muletillas». Siendo Goytisolo uno de los escritores contemporáneos que insiste en recordarnos, con razón, que «el lenguaje» es aquello con lo que se hace la literatura, debería ser más cuidadoso con su propio lenguaje, que es en estas declaraciones por lo menos tan impreciso históricamente como en la *Reivindicación*... Lo que podría hacernos pensar que, diferencias de rigor estructural aparte, tal vez no sea tan grande la autonomía de una obra literaria con respecto a lo que hace, piensa y dice su autor en los ratos en que es un simple mortal que ha escrito o va a escribir una novela.

SOBRE LA IDEA DE LA NOVELA EN CARLOS FUENTES

La no excentricidad del Tercer Mundo.

Hay un día memorable en los anales del imperialismo inglés del cual podemos hoy acordarnos con vengativo regocijo. Es aquel en que ofendida por no sé qué desmanes de los bolivianos y transportada más allá del desprecio al descubrir que Bolivia no tenía un mar al cual enviar su flota justiciera, la reina Victoria ordenó a sus ministros que borraran tal seudo-país del mapa. Podía entonces el Imperio darse el lujo de ningunear tranquilamente a Bolivia o a cualquiera de las partes de partes de otras partes de su dominio. ¡Era tan ancho el mundo, tanto lo que se poseía y aún podía dominarse, tantas las sobras que se arrojaban al mar cuando al hacer las cuentas anuales resultaba que había aumentado la producción de textiles, de carbón, de hierro; las importaciones de materias primas, las exportaciones de capital y de productos manufacturados! Puestos a despreciar a los «salvajes», poco parecía entonces importar una Bolivia más o menos.

Ya sabemos que después las cosas se fueron complicando. Cierto que pudo capearse la crisis económica de fin de siglo y que los nacientes movimientos de independencia de lo que hoy los más llaman todavía el «Tercer Mundo» podían, a una vez, fomentarse y controlarse: no en vano existía ya el modelo de la dependiente independencia de Iberoamérica. Pero iban quedando menos sobras y arreciaba la competencia. Y si tiempo antes la Triple Alianza y sus camaleónicos derivados habían detenido un posible caos revolucionario en Europa, y si, a partir de la Comuna, con racional acuerdo, todos los países del Viejo Continente se habían lanzado a la liquidación de la Internacional, no era cuestión de permitir ahora que de otra manera se desquiciara el sistema: de ahí los repartos juiciosos (Africa) y la mejor definición de «zonas de influencia» (América, Asia).

A pesar de ello, tras larga y fructífera paz, vino la guerra. Porque, en efecto, se trataba de una cuestión de vida o muerte: si el mundo capitalista había de seguir viviendo al nivel de prosperidad a que se iba acostumbrando, no podía despreciarse ninguna Bolivia. Aquello que la reina Victoria había mandado borrar de sus mapas no era diseño de fantasía —líneas, color y letras de quita y pon—, sino material realidad de estaño (o salitre, madera, azúcar, petróleo, cobre, algodón, opio, café...); tierra firme para invertir en ferrocarriles, equipar ejércitos y vender vajillas, imprentas, telas...

Todo rincón del mundo era necesario para la explotación, inmediata o futura; nada era marginal ni excéntrico al sistema, y todo había de ser propiedad de unos cuantos países centro. En el sentido estricto en que Marx había hablado, en *La ideología alemana,* de «historia mundial», ninguna zona del globo, por «primitiva» o «salvaje» que fuera, podía quedar ya excluida de la realidad del crecimiento y desarrollo de los países «civilizados». Y la competencia entre esos países exigía componendas y armas de todo género: si la fuerza centrífuga que llevaba flotas al Yang-Tse-Kiang era la fuerza centrípeta que llevaba carne argentina a Londres y a París —concediendo así a lo no excéntrico el justo centro de la mesa de un alto mando o de la mesa de comer—, esas fuerzas también exportaban ideas, formas culturales, e importaban, entre discretos aplausos, remedos de esas mismas formas, o, mejor aún —bien avisados desde antes de Gauguin—, lo que en las remotas pero nada excéntricas Bolivias parecía ser propio y distintivo: mitos, maderas talladas, cantos tribales... Había que vencer y, todavía un poco a regañadientes, convencer. ¡Eran tan útiles para ello los amigos que llegaban a Antofagasta, Morombé, Lumpur, revelando su «centralismo» en el conocimiento de Wilde, de Mallarmé, a la vez que revelaban su interesante «excentricidad» en cómo contaban leyendas extrañas, en el color de la piel, en el porte lujoso que permitía entrever cómo habrían sido las antiguas grandezas de lugares hoy pobres, o la nueva riqueza de hacendados exportadores!

A todo lo cual Lenin llamó, y se sigue llamando, imperialismo: ni excentricidad, ni marginalidad;

sistema en el que dependencia, subdesarrollo y burguesía nacional son inseparables del desarrollo del capital financiero internacional.

Con el tiempo, aceptado el hecho de la revolución socialista, le resultó necesario a Occidente desembocar en el neo-colonialismo: el cual lleva en sí, sin embargo, la inevitable afirmación de que quien no es excéntrico ni está al margen, sino en la base misma del poder dominante, ha de librarse de la dependencia y ocupar ese poder. Queda así definitivamente al descubierto la realidad del imperialismo y se ven las cosas claras: que cada parte del mundo es su propio centro y que no lo es nadie, excepto en cuanto que el capital monopolista insiste en ser y es de hecho, porque tiene que serlo, el centro de la explotación; y excepto, claro está, en cuanto que el antagónico sistema socialista une a los empeñados en liquidar ese centro. Esta nueva y auténtica conciencia de la no excentricidad se caracteriza así por la lucha decidida contra la dependencia y por la lucha de clases. De este radical antagonismo —económico, social, político— ha de derivarse y se deriva la nueva y auténtica no excentricidad cultural del llamado «Tercer Mundo». En la afirmación de esta no excentricidad ha de afirmarse necesariamente el socialismo.

Le son por tanto más necesarios que nunca a Occidente (que, en verdad, se llama capitalismo) los buenos amigos de remotas tierras que lleven y traigan ideas, siempre que en ellas, con la sana intención de convencer confundiendo, entre alusiones a nuevas formas de «universalidad», a «mitos», o al sistema de comunicaciones que informa a todos al mismo tiempo, se evita el planteamiento básico de la cuestión, planteamiento que sigue siendo el del remoto, pero ni excéntrico ni amigo, Juan Carlos Mariátegui:

> Somos anti-imperialistas porque somos marxistas, porque somos revolucionarios, porque oponemos al capitalismo el socialismo como sistema antagónico (1).

Donde se toma en cuenta la «historia mundial», el sistema en su totalidad, y a partir de donde hemos de repensar las complejas relaciones entre no excentricidad económica y no excentricidad cultural.

* * *

Al igual que el lector, Carlos Fuentes se sabe todo esto de memoria. De ahí que afirme, como tesis fundamental de *La nueva novela hispanoamericana,* que hoy día, «si los europeos y los norteamericanos han dejado de ser "el Hombre", los latinoamericanos, los asiáticos y los africanos hemos dejado de ser "el buen Salvaje"» (p. 84) (2). A lo que añade: «nuestra marginalidad es idéntica a la que Fidel Castro, Patrice Lumumba y Ho Chi

---

(1) Juan Carlos Mariátegui, «Punto de vista anti-imperialista», en Obras Completas, vol. XIII, *Ideología y Política,* Lima, Ed. Amauta, segunda edición, 1971, p. 95.

(2) Carlos Fuentes, *La nueva novela hispanoamericana,* México, 1969. Cito siempre por esta edición.

Minh han impuesto al antiguo centro occidental»; con lo que se unen no marginalidad y socialismo. Por lo que toca a Latinoamérica en particular, que es de lo que aquí se trata, Fuentes escribe: «el fin del regionalismo latinoamericano coincide con el fin del universalismo europeo: todos somos centrales en la medida en que todos somos excéntricos» (p. 97). Y si en 1947, en *El laberinto de la soledad,* Octavio Paz había escrito que el mexicano era [ya] contemporáneo de todos los hombres, Carlos Fuentes amplía la idea y afirma que «los latinoamericanos son hoy contemporáneos de todos los hombres» (p. 32). Con lo que no sólo se da por terminado el «universalismo europeo», sino que, además, se supone que «los europeos saben que su cultura ya no es central» (p. 22).

Ahora bien, ¿a qué se debe, para Carlos Fuentes, que «los europeos y los norteamericanos» sepan (o hagan como que saben) que «su cultura ya no es central»? Frente a tantos siglos de imperio y, por tanto, de costumbres culturales centralistas, ¿qué valida, realmente, la idea de que hoy «todos somos centrales»?

Por una parte, según hemos visto, Fuentes nos remite a Ho Chi Minh, a Fidel y a Lumumba. Es decir, a lo que hemos de entender como momentos particulares de la larga lucha anti-imperialista cuyo sentido ha de encontrarse no sólo en esos momentos aislados o en situaciones coyunturales de cualquier otro tipo, sino, a largo plazo, en la precisa historia de la evolución del capitalismo y, por tanto, de la lucha de clases y del socialismo. Tomar de valedores a Ho Chi Minh, a Fidel y a Lumumba implica, obligatoriamente, compartir con ellos tal visión coherente de la Historia mundial.

Sin embargo, hemos visto que Fuentes explica que «el fin del regionalismo latinoamericano *coincide* [subrayado nuestro] con el fin del universalismo europeo»; y en otro lugar nos dice que la nueva importancia de los escritores americanos «*coincide* con la única posibilidad de la literatura occidental cuando ésta se vuelve consciente de haber perdido su universalidad» (p. 32). Aunque sean sólo dos, nos parecen excesivas las «coincidencias» en quien, tratando de cosas del «Tercer Mundo» y empeñado —según se ve más adelante— en lo que podríamos llamar una nueva defensa del lenguaje, emplea sólo tres veces en todo el libro la palabra «imperialismo». Si nos descuidamos, según Fuentes desarrolla su tesis, podríamos llegar así a pensar que Ho Chi Minh «coincide» con el final del Imperio francés de Indochina, que Fidel Castro «coincide» con la salida de Batista y la creación de la primera sociedad socialista de América, o que la muerte de Lumumba «coincidió» con la reafirmación del neo-colonialismo en el Congo. Todo ello, podríamos llegar a suponer, dentro de una historia de extrañas «coincidencias» que irían, por lo menos, desde los discursos de juventud de Ho Chi Minh en el seno de la Tercera Internacional (¿qué haría allí, citando a Lenin junto a estadísticas sobre subdesarrollo, en el centro de la revolución europea, aquel excéntrico joven de veintidós años?), hasta la sorprendente (!) declaración de marxismo-lenimismo de Fidel Castro.

Pero Carlos Fuentes, tal vez para simplificar o para no insistir en lo obvio, no se ocupa de tal historia. Ello no sólo le permite recurrir a su debido tiempo a Ho Chi Minh, a Fidel Castro y a Patrice Lumumba, sacando sus nombres casi mágicamente de la nada, sino que le permitirá —y es lo que centralmente le ocupa— enfrentarse con la cuestión de la decadencia de la novela burguesa sin preocuparse de la curiosa «coincidencia» que existe entre la crisis de la burguesía y el auge del socialismo, ni del hecho de que la no excentricidad del Tercer Mundo «coincide» no sólo con Fidel, Lumumba y Ho Chi Minh, sino con la existencia global del poder antagónico de los países socialistas (sobre lo cual más de una vez han hablado Fidel y Ho Chi Minh por lo menos). Tal falta de atención a la Historia le evita también tener que preguntarse por qué, por ejemplo, si «sabe» que su cultura «ya no es central», se empeña Occidente (i. e. el mundo capitalista) en la violencia destructora con la que pretende negar la independencia vietnamesa, o boliviana, o palestina, o congolosa, o chilena; es decir: la violencia con que el capitalismo se empeña en afirmar que, en efecto, salvo el socialismo, nada *le es* excéntrico porque sólo hay un centro (dominante): el de los países que iniciaron —y van ya siglos— la «historia mundial».

Tal desatención a la totalidad del sistema en su historia le resultará esencial a Carlos Fuentes para interpretar el papel que juega la «nueva novela» hispanoamericana en el contexto de la «descentralización» cultural europea.

Breve historia de la nueva novela.

Aunque breve y esquemática, es perfectamente coherente —y hoy por hoy generalmente aceptada— la historia que hace Carlos Fuentes de la novela hispanoamericana. Desde una novelística en que se trataba de resolver lo que para Sarmiento era el conflicto entre «civilización y barbarie» (pp. 10-11), desde los «arquetipos básicos» (la naturaleza, el dictador, la masa explotada, p. 11) y el estilo «denuncia» de novelas escritas para que «mejorase la suerte del campesino ecuatoriano o del minero boliviano» (p. 12), nos lleva Fuentes a la «ambigüedad» de la novela de la Revolución mexicana, a la novela ya no «testimonial» de Yáñez (en la que, se dice, se adquiere distancia frente a esa misma Revolución), y ya en el umbral de la novela contemporánea, a la «imaginación mítica» de Rulfo («imaginación» que permite al jalisciense «incorporar la temática del campo y la revolución mexicanas a un contexto universal», p. 16) y a la «narrativa mítica» de Borges (en la que se «equipara la libertad con la imaginación», construyéndose así «un nuevo lenguaje latinoamericano», pp. 25-26). Esta introducción desemboca (pp. 26-29) en «la modernidad enajenada» de Juan Carlos Onetti y Ernesto Sábato, en cuyas obras («primer cuadro de lo que significa, en América Latina, ser un hombre de la ciudad», p. 29) «la contradicción se acentuaba porque detrás de la fachada relumbrona de las ciudades permanecían, inmutables, la selva y la montaña, con sus indios de carga, sus mineros devorados por la silicosis, sus mujeres mascando coca; sus niños muertos, sus jóvenes iletrados, sus prostíbulos verdes...».

Pero no se entra en el mundo de la «nueva novela» americana por la enajenación, sino por la revolución:

> Presionado por estas contradicciones, sofocado el sueño de la «civilización moderna» por el encuentro del capitalismo norteamericano y las oligarquías criollas, el intelectual de América Latina sólo ve la perspectiva de la revolución. En las últimas décadas, y sobre todo a partir del triunfo y el ejemplo de la revolución cubana, la inteligencia de nuestros países se sitúa, mayoritariamente, en la izquierda.

Sin embargo, y aquí empiezan las dificultades según Fuentes enfila hacia su tesis,

> ni el anhelo ni la pluma del escritor producen por sí mismos la revolución y el intelectual queda situado entre una historia que rechaza y una historia que desea. Y su presencia en un mundo histórico y personal contradictorio y ambiguo, si lo despoja de las ilusiones de una épica natural, si lo convierte en un hombre de preguntas angustiosas que no obtienen respuesta en el presente, lo obliga a radicalizar su obra no sólo en el presente, sino hacia el futuro y hacia el pasado (p. 29).

Casi imperceptiblemente, llevados de mano maestra, hemos pasado de la «perspectiva de la revolución», producto del nada ambiguo «encuentro del capitalismo norteamericano y las oligarquías criollas», a un vivir «histórico y personal contradictorio y ambiguo» que convierte al intelectual americano «en un hombre de preguntas angustiosas que no obtienen respuesta en el presente», a pesar del «ejemplo de la revolución cubana». Parece tratarse de una postura intelectual reconocida o aceptada como válida desde, por lo menos, los orígenes románticos del conflicto entre la libertad individual y las exigencias «ciegas» de la Historia: «radicalización» del quehacer humano, pero no dejándose hundir en el presente; quehacer intelectual que no olvida lo que Machado llamaba la duda metódica y que, a la vez, apunta a la utopía; «revolución», pero crítica y, tal vez inevitablemente, angustiada; quehacer históricamente particular, pero que no tiene por qué excluir las referencias a mitos universales; conciencia de las ambigüedades, de que nada ni nadie es «de una sola pieza», etc. Más allá del obvio subjetivismo, ¿quién que esté en su sano juicio negará que, por claras que sean las líneas históricas generales, la realidad se nos da siempre en forma compleja, anudada en contradicciones y ambigüedades, y que toda decisión, estratégica o táctica, puede ir acompañada de «preguntas angustiosas»? Desde la perspectiva revolucionaria más ortodoxa, de tales cuestiones trata, por ejemplo, Brecht en *Las medidas tomadas;* el asunto no deja de plantearse en el mejor Malraux, en Sholokov, en Vallejo, en Maiakovski... Pero la praxis de la revolución —si es que Fuentes se refiere en serio al ejemplo cubano, o si toma realmente en serio al Brecht que cita en la página 18— ha de consistir, precisamente, en que, inmersos en la complejidad, deben hombres y mujeres intentar extraerle *al presente* «respuestas» que, además de ser hoy necesarias, es de luchar porque germinen en el futuro. Inútil parece «situarse a la izquierda», según dice Fuentes que ocurre con los más de los «nuevos» escritores americanos, si no se busca en el quehacer cotidiano la unidad del «rechazo» de una historia opresiva y el «deseo» de una nueva historia.

Volvamos a los modelos tercermundistas de Carlos Fuentes: son Ho Chi Minh, Lumumba y Fidel Castro; pero al parecer no «el escritor», ya que, según hemos leído, «ni el anhelo ni la pluma del escritor producen por sí mismos la revolución». ¿Que «produzcan», pues, la revolución los otros? Podríamos objetar o añadir: ni el anhelo ni el trabajo del obrero consciente, ni el anhelo ni el trabajo del organizador, ni el anhelo ni los trabajos de los guerrilleros, etc., producen «por sí mismos» la revolución. Desde la «perspectiva de la revolución misma», mucho mejor de lo que podríamos hacerlo nosotros, ha escrito ya sobre el asunto Carpentier (3). Y mucho antes —porque estas cosas no son tan nuevas como a veces se pretende—, ya Maiakovski había dado por supuesto que «el socialismo no se construirá con ninguna palabra. Las palabras no sirven

---

(3) Cf. Alejo Carpentier, *Literatura y conciencia política en América Latina,* Madrid, 1969; en particular el ensayo que da título al volumen, y «Problemática de la actual novela latinoamericana», así como «Papel social del novelista».

para eso»; a lo que sin embargo añadía que «para ejecutar de la mejor manera posible la ordenación social, el poeta debe colocarse a la vanguardia de su clase, debe luchar, conjuntamente con la clase, en todos los frentes» (4). No ha de parecernos, por tanto, tan claro como a Carlos Fuentes que haya que suponer «desde la izquierda» que el intelectual tiene que quedar «situado entre una historia que rechaza y una historia que desea», en vez de situarse, sencillamente, en una Historia que junto a los demás construye (5).

El trasfondo ideológico de la conclusión de Carlos Fuentes lo encontraremos seguramente volviendo atrás en el texto al paréntesis que abre a medio camino de su breve historia de la novela hispanoamericana para expresarse sobre la vieja polémica de si ha muerto o no la novela (pp. 16-23).

Novela y burguesía.

Afirma ahí Fuentes, según él contra Moravia, que «lo que ha muerto no es la novela, sino precisamente la forma burguesa de la novela y su término de referencia, el realismo...; varios grandes novelistas han demostrado que la muerte del realismo burgués

(4) Vladimir Maiakovski, *Poesía y revolución,* Barcelona, 1971, página 89.

(5) No es Carlos Fuentes el único que opina esto y todo lo demás que en este ensayo se somete a crítica: el libro de Fuentes que aquí nos ocupa importa, entre otras cosas, por ser como el precipitado de modos de pensamiento que distan de ser exclusivos de nuestro novelista.

sólo anuncia el advenimiento de una realidad literaria mucho más poderosa». A lo que añade: «esta realidad no se expresa en la introspección síquica o en la ilustración de las relaciones de clase...» (p. 17).

No haremos mayor caso del hecho que en la lista que nos da a continuación de los «grandes creadores» que «han abierto el telón» sobre la nueva realidad «que realmente está transformando la vida en las sociedades industriales» (Kafka, Picasso, Joyce, Brecht, Artaud, Eisenstein y Pirandello, p. 18), varios no son novelistas y dos por los menos han «ilustrado» insistentemente «las relaciones de clase». Importa más reconocer que si a la lista de iniciadores de la «nueva novela» propiamente dicha (Faulkner, Lowry, Broch, Golding) añadimos los de la penúltima ola que tanto apasionan a Fuentes (Witold Gombrowicz, J. M. Le Clezio, Italo Calvino, Susan Sontag, William Burroughs y Maurice Roche, p. 20), resulta irrefutable la afirmación de que la novela no ha muerto. De esto, que no es sino afirmar con ciertos ejemplos que sigue habiendo novelas, Carlos Fuentes deduce que «la crisis de la novela burguesa ha sido superada» (p. 21).

Quizá sólo deba haber dos maneras de interpretar esta afirmación: *a*) que la novela burguesa se ha recuperado de sus males, cualesquiera que fuesen, y que sigue viva y coleando; o *b*), si entendemos el término «superar» en su sentido hegeliano, que la novela burguesa ha sido negada y que estamos ahora frente a una novela otra que la burguesa. Las dos posibles interpretaciones exigen que nos pongamos de acuerdo sobre el tan traído y llevado término «novela burguesa».

A pesar de que sobre su parte sustantiva, «novela», se han escrito más que millares de páginas, lo que alguna vez nos puede hacer pensar que no sabemos ya ni de qué género hablamos en última instancia hay un total acuerdo: «Novela» es el *Quijote, Los hermanos Karamazov, Le page desgracié, Lolita, Tom Jones, María, Lo que el viento se llevó, Ulises, El halcón maltés, Pedro Páramo, Rayuela, La de Bringas*... Ni *La voluntad,* por ensayística, ni *Finnigan's Wake,* por ilegible, se bastan para que frente a una novela dudemos de lo que tenemos entre manos. Que *El final de Norma* sea una solemne bobería o que *La casa verde* está construida con un mecanismo de geometría elemental; que sea la novela en su origen un género burgués o no; si una novela «narra» o «describe»: esos son otros asuntos; pero reconocer que lo que tenemos entre manos cuando leemos *Libro de Manuel* es una novela, no resulta mayor ni menor problema que reconocer un poema o un cuadro. No vemos dificultad mayor en ser en esto tan simples como E. M. Forster cuando propone que una «novela» es una «ficción en prosa» de más de 50.000 palabras (6).

Mucho menos se ha escrito, en la crítica literaria, sobre la parte adjetiva del término «novela burguesa». Ahí, sin embargo, debido tal vez a que suponemos entender de sobra el significado de *burgués-a,* puede haber una gran confusión de opiniones. En

(6) E. M. Forster, *Aspects of the Novel,* Harcourt and Brace, Nueva York, p. 6.

otros contextos (*sociedad burguesa, revolución burguesa, sistema de economía burguesa*) (7) el adjetivo no ofrece dificultad ninguna: lo *burgués*, porque es lo de la burguesía, que es la creadora del capitalismo y, por tanto, del imperialismo, es lo capitalista y lo imperialista. Con sus contradicciones, por supuesto. En el término «novela burguesa» el adjetivo no debería, pues, significar, si lo empleamos con el rigor que es de suponer en quien escribe desde «la izquierda», ni más ni menos que en los términos ya citados o que en *ciencia burguesa, estado burgués, modo burgués de producción, sociología burguesa* o *teoría burguesa de la novela*. Si empleamos las palabras en serio, *novela burguesa* ha de ser, por tanto, novela capitalista e imperialista en el sentido, por ejemplo, en que Brecht hablaba indistintamente de «realismo burgués» y de «realismo capitalista e imperialista». (Lo que no excluye, sino que implica, que ha de haber novelas burguesas en las que se revelan las contradicciones del sistema, e incluso, por supuesto, novelas antiburguesas escritas en el seno de la sociedad burguesa.)

Necesariamente, por tanto, la afirmación de Carlos Fuentes ha de significar que: *a*) la novela capitalista, imperialista (con todo y sus contradicciones internas), se ha recuperado de sus males y sigue viva; o *b*) que ha sido negada y estamos ahora, en los autores que Fuentes da como ejemplo de «superación», frente a una novela anticapitalista y antiimperialista. Hemos de suponer que es la segunda

---

(7) Son términos todos de Marx.

interpretación la que interesa a Carlos Fuentes, puesto que desde la «perspectiva revolucionaria» de que nos ha hablado no podría él convertirse en apologista de una nueva manera de novelar burguesa (i. e. capitalista, imperialista, contrarrevolucionaria).

Ahora bien, hemos de notar que Fuentes no cree que esa «superación», ejemplificada por Burroughs, Gombrowicz, etc., se haya logrado por lo que debería haber sido la negación radical, dialécticamente ineludible, de la novela burguesa, que sería: novela socialista, novela anti-imperialista. Y no lo cree, por lo visto, debido a que asocia toda posibilidad de novela socialista con el «llamado realismo socialista» y considera que «el llamado socialismo realista de la época staliniana» se empeñó «en prolongar la vida del realismo burgués y sus procedimientos» (p. 19).

Se trata de una rutinaria declaración de fe, por supuesto, y como tal, tópica e imprecisa. Tal vez con ella se logre que ciertos lectores se mezclen una vez más en la costumbre de los lugares comunes que tan bien han sido inculcados y que no se pregunten —ya que es asunto por demás complejo y polémico— qué relación necesaria existe, por ejemplo, entre la idea de una posible novela socialista y «el llamado socialismo realista». Si así se deja arrullar el lector, no alcanzará a preguntarse, por ejemplo, y sin salir del ámbito de la novela americana, qué tienen que ver con todo esto obras como *El reino de este mundo* o *El zorro de arriba y el zorro de abajo;* novelas que, a contrapelo de la tesis de Fuentes, y precisamente porque «ilustran las relaciones de clase», han superado cada una a su modo la «crisis de la novela burguesa», sin por ello caer en el «llamado socialismo realista» (del cual, naturalmente, tampoco nos da Fuentes ningún ejemplo cuyo análisis pueda guiarnos para entender de qué nos habla exactamente).

No deja de ser sorprendente la soltura con que a lo largo de los años se lanza una y otra vez el término «socialismo realista», dando por supuesto que todos conocemos la historia de la teoría y praxis de ese «realismo» y con qué tranquilidad quienes lanzan el *shiboleth* acostumbran no molestarse en dar ejemplos, ni en suponer la posibilidad de un realismo socialista que no sea la peor de sus caricaturas. Se da por hecho el fracaso del «realismo socialista» y no parece resultar ya necesario volver a plantearse el problema que significa el que, teórica y estrictamente hablando, la «novela burguesa» sólo puede ser «superada» por la novela socialista. No se toma, por tanto, en cuenta la posibilidad de que haya diversos modelos de novela socialista. Mucho menos, claro está, se molesta un Carlos Fuentes en recordar que esos posibles modelos tienen una larga historia polémica en el movimiento socialista y en los países socialistas. Se dice «realismo socialista» y bajo su mala fama no sólo quedan subsumidas e innombradas múltiples novelas en que la visión burguesa de la realidad ha quedado ya superada hace tiempo por la visión socialista, sino que parece inclusive eliminarse toda posibilidad de novela socialista. Como, además, «realismo socialista» hace pensar en novelas de «tesis» dogmáticas, en lo cual, a su vez, va implícita por oposición la idea de que el pensamiento burgués y sus formas literarias no tienen «tesis» ni son dogmáticos, resulta evidente —de manera implícita, por supuesto— que «la crisis de la novela burguesa» no puede en principio ser superada por ninguna forma de novelar socialista: ventajas de no definir lo que se entiende por «escribir desde la izquierda».

Así, Carlos Fuentes repite el lugar común y pasa de largo porque, en verdad, difícil le ha de ser concebir una novela socialista que «supere» nada a quien, arrimándose a la más vulgar sociología burguesa, escribe sencillamente que vivimos una «época cuyo verdadero sello no es la dicotomía capitalismo-socialismo», sino «una suma de hechos... que realmente están transformando la vida en las sociedades industriales: automatización, electrónica, uso pacífico de la energía atómica» (p. 18). Por supuesto que no hemos de oponer a tal negación y afirmación de Fuentes una afirmación que podría parecer igualmente arbitraria. Hemos de conformarnos con que quede bien claro que la «revolucionaria» idea de la novela de Fuentes, amparada mágicamente por las palabras de Ho Chi Minh, Fidel Castro y Patrice Lumumba, niega específicamente lo que han afirmado los hombres de carne y hueso que llevaron y llevan esos nombres, en tanto que, de manera igualmente específica, afirma lo mismo que quienes predican el «final de las ideologías».

A partir de esta filiación ha de entenderse una de las ideas más extraordinarias que se hayan puesto por escrito en nuestro tiempo; a saber: que «la fugacidad de la burguesía se debió, entre otras cosas, a su incapacidad, en señalado contraste con otras culturas "clásicas" y "primitivas", para crear mitos renovables, impedida por la voraz futuridad que fue su sello de origen» (p. 20). El verbo en pretérito —*se debió*— no deja lugar a dudas: según Carlos Fuentes, la burguesía (es decir, la clase propietaria de los medios de producción capitalista) ha muerto. ¡Por ello, seguramente, no puede ser la «dicotomía capitalismo-socialismo» el «verdadero sello» de nuestro tiempo! Y de ahí probablemente —como si Fuentes creyese en alguna mecánica teoría del reflejo— que haya muerto «la forma burguesa de la novela» sin dar origen a ninguna forma viable de novela socialista. Con completa lógica interna, sin el menor respeto por lo que claramente nos dice la realidad histórica, de esta tesis se origina la idea de la novela que predica Carlos Fuentes.

Sobre mito, lenguaje y estructura.

Murió la burguesía porque no supo crear «mitos renovables»; pero al fin, y «paradójicamente», «la necesidad mítica ha surgido en Occidente sobre las ruinas de la cultura que negó el mito» (p. 20). Por una parte, explica Fuentes, esta «necesidad» encuentra en Occidente mismo soterrados antecedentes que el realismo burgués creía definitivamente muertos; por otra, la nueva necesidad dirige al artista de Occidente hacia mundos en que la «cultura» burguesa, al parecer, no ha logrado todavía hacer olvidar los mitos: ahí veremos la importancia del «Tercer Mundo».

Los antecedentes occidentales de la nueva «necesidad» son hoy todavía, al igual que hace cincuenta años, Blake y Coleridge, Nerval y Rimbaud, Lautréamont y Holderlin, a quienes se añaden algunos de los que en esos cincuenta años se orientaron hacia ellos: Breton y Peret, Cummings y Char. Son éstos —no faltaba más— «los herejes, los videntes», y Fuentes dice ahora de ellos que son «los tesoreros de todo lo olvidado por la burguesía» (p. 20). Como la lista se dirige a los iniciados o a los posibles conversos a quienes por el momento ha de bastar la ritual enumeración mágica que hacen los ya iniciados en esta tradición «herética», no se plantea Carlos Fuentes ninguno de los problemas que añadirían complejidad a su pensamiento y que tal vez podrían incluso obligarnos a repensar la validez del juicio implícito en la ritual encantación.

Así, por ejemplo, podría uno preguntarse por qué en esta lista de siempre no entra nunca Shelley —purísimo entre los puros, enemigo a muerte de la cultura burguesa, «hereje» y «vidente» como el que más—, quien en la oda a la matanza de «Peterloo» compara la libertad privilegiada del artista con la de los demás hombres, en particular con la del proletariado inglés, y declara que la libertad es el pan. O bien: ¿a qué se debe que en esta lista de «herejes» hecha «desde la izquierda», tres de los nombrados, contemporáneos de la Revolución francesa, fueran no sólo anti jacobinos, sino restauracionistas? ¿Cómo es que la «visión» de esos mismos tres acaba por centrarse no en mitos de culturas «clásicas» o «primitivas», sino en un Cristo plenamente tradicional? No entendemos tampoco por qué en la lista de «herejes» en que ahora aparece siempre ya Bretón, no aparecen nunca Alberti, ni Maiakovski, ni Neruda, ni Nazim Hikmet. O por qué no se pregunta Fuentes sobre los motivos «anti burgueses», peculiar «videncia», que llevaron a Coleridge, durante su estancia en Malta, a proponer oficialmente al Imperio que en vez de depender del algodón americano sería más práctico conquistar Egipto.

Tal vez éstas y otras dudas, preguntas, problemas en ellas implícitos, hayan quedado también resueltos de antemano por la breve e igualmente ritual referencia al «realismo socialista» (que sería lo contrario de «herejía» visionaria). Hemos de decir, simplemente, que no basta. Y justo nos parece advertir que quienes acusan a otros de sectarios, de incapaces de expresión imprevisible, de prisioneros de un esquema que da siempre las mismas respuestas a los mismos problemas, funcionan ellos mismos esquemática, sectaria y previsiblemente. Esquemática, repetidísima y sectaria la lista de «herejes»; previsible, por tanto, que sean «tesoreros de lo olvidado por la burguesía» y no, por ejemplo, enemigos del modo burgués de producción o de la expansión imperial inglesa; inevitable también que entre tantas referencias como acuden a su pluma, Fuentes no recuerde, precisamente, lo que Marx escribió con tal claridad acerca de las relaciones conflictivas entre la «cultura burguesa» y el artista.

Pero, según hemos indicado, no sólo, ni principalmente, busca Occidente en Occidente el mito. Al descubrir que «después de Mann no se puede volver a escribir como Mann», porque «su cultura ya no es central», «el escritor europeo descubre que debe conquistar una nueva universalidad, esta vez verdaderamente *común* al quehacer literario: la universalidad de la imaginación mítica, inseparable de la universalidad de las estructuras del lenguaje» (p. 22). Aquí la importancia del «Tercer Mundo» y en particular de la «nueva novela» hispanoamericana. Los «videntes» y «herejes» europeos fueron, a fin de cuentas, soterrados por la civilización burguesa, en tanto que, según ellos mismos sospechaban, en otros continentes sobrevivían al parecer en forma operante los «mitos renovables»: según Fuentes, que en esto es también vocero de opinión muy generalizada, la nueva novela hispanoamericana recoge —o tal vez debamos decir, ilustra— la vigencia de los mitos universales y confirma así la confianza de los «videntes» occidentales en un posible lugar de encuentro «común» a todo «quehacer literario». Así, y a diferencia de lo que ocurría hace unos años, cuando andaba perdida en localismos costumbristas, no sólo ya no es «excéntrica» la literatura hispanoamericana, sino que —dada la «universalidad de las estructuras del lenguaje»— es uno de los modelos «a conquistar» para el escritor europeo. Ya Borges y Rulfo habían dado al mundo ejemplos de imaginación mítica; ahora son García Márquez, Cortázar, Carpentier y Vargas Llosa quienes, cada uno a su manera, «convierten en literatura mítica los temas tradicionales» de la literatura americana (p. 36): donde hemos de entender que, a diferencia de la Historia, lo mítico es lo «ejemplar», ya que es lo «repetible» (p. 51) más allá de cualquier limitación temporal. Ha de entenderse también que esta voluntad de mitificación de la nueva novela «no es gratuita», sino que responde a la necesidad que tienen «los hombres» de defenderse «con la imaginación del caos circundante» (p. 63). Si se apura el análisis llegamos a la conclusión de que «uno de los rasgos más significativos de la imaginación literaria latinoamericana», fundamento de su universalidad, es «la aventura en pos» de lo que se encuentra «más allá de la pesadilla histórica y de la esquizofrenia cultural» (p. 68). En el mejor de los casos, según en opinión muy particular de Fuentes ocurre con *Rayuela,* se escriben libros que suplantan «radicalmente a la vida» (p. 69): tras mucho andar empezamos quizá a entender qué nos quería decir Carlos Fuentes cuando hablaba de situarse «entre» una historia que se «rechaza» y una historia que se «desea».

No podían haber encontrado un mejor modelo los descendientes de aquellos «visionarios» que, oprimidos por el realismo burgués, se veían empujados a buscar siempre «un *là bas,* una isla feliz, una ciudad de oro» (pp. 67-68) en la cual, suponemos que suponían, habría de quedar suplantada radicalmente la vida. Es larga la tradición europea de la búsqueda de la otredad, de tierras y culturas exóticas como refugio. Llega a su expresión más clara cuando empieza a tomar forma definida el imperialismo —período medio de la reina Victoria, Napoleón III— y en la obra precisamente de algunos de los «videntes» que Fuentes, como tantos otros, considera como verdaderos opositores de la sociedad burguesa. Por supuesto que esas tierras se encontraban siempre en zonas del Imperio, en lo que hoy se llama «Tercer Mundo», en tierras que a los poetas parecían estar «más allá» (excéntricas), pero que en rigor eran ya claves para el sistema. Y claro está que la realidad real de esas tierras decepcionaban siempre a los pocos artistas que llegaban a atreverse a ir a ellas, según se desprende, por ejemplo, de las extraordinarias cartas que desde Egipto le escribió Nerval a Théophile Gautier, recomendándole que siguiera soñando en París trópicos exóticos: mejor es la fantasía —explica— que la realidad pobre y sucia del Nilo a mediados del siglo XIX. ¡Lástima no poder haber continuado con el sueño de un «más allá» temporal, con un tiempo histórico armonioso para el artista por anterior al período de los burgueses! Pero es una de las paradojas de la expansión imperial, capitalista, que las tierras descubiertas que aparecen remotas, excéntricas, *otras* que las conocidas, han sido descubiertas para ser incorporadas al sistema, para no ser otras ni excéntricas y así dejan de ser remotas: accesibles ya, visitables realmente, ni puede el visitante elevarse a los niveles del mito, ni más allá de lo que Fuentes llama «los datos excéntricos de nacionalidad y de clase» (p. 22): quédate mejor en París, Théo, le aconseja Nerval, y constrúyete un

Egipto ideal en los decorados de la Opera de París. Algunos, según explicó magistralmente Albert Beguin, decidieron, sencillamente, encerrarse en el sueño (8).

Pero sigue la ilusión de lo exótico que nace del temor a enfrentarse con la sociedad burguesa en su propio terreno, y hoy, con la antropología de nuevo cuño, se disfraza incluso de toma de postura anticolonialista en su negación de los presupuestos culturales de la antropología «eurocentrista» y en su aparentemente riguroso, casi sagrado, respeto a la otredad de lo otro. De este respeto por la otredad de las culturas no «occidentales» nace la tesis de que ninguna cultura es excéntrica porque ninguna es central, en lo que acaba por ir implícito, como máxima negación del pensamiento de Occidente (más rigurosamente: burgués), que tanto vale la razón mítica como la científica. Más aún (y es ahora un buen amigo de tierras ya no exóticas quien confirma lo pensado en los centros del poder): si lográramos deshacernos de los molestos «datos excéntricos —éstos sí excéntricos— de nacionalidad y de clase», si llegásemos realmente a entender la abstracta universalidad de los mitos y del lenguaje, podríamos incluso llegar a entender la superioridad de las culturas míticas, ya que, a diferencia de las culturas que viven bajo la «historia opresora» (p. 65), los sistemas míticos establecen «relaciones de homología entre las condiciones naturales y las con-

(8) Cf. *L'âme romantique et-le rève;* hay magnífica edición en español del Fondo de Cultura Económica de México.

diciones sociales» (p. 64); con lo cual, por supuesto, las culturas míticas garantizan un orden imaginativo del que carece la sociedad burguesa. Lo pensado hace ya mucho por los videntes y herejes como universo a «conquistar» les es ahora devuelto como prueba de que Nerval se equivocaba.

Claro está que no debemos olvidar que Carlos Fuentes sabe de sobra —y lo ha escrito— de la miseria de América; de qué manera tan coherente, sin embargo, ha dejado atrás a los «indios de carga» y a los «mineros devorados por la silicosis», en cuanto temas de la novela estilo «denuncia» (escrita, ha dicho, «para que mejorase la suerte del campesino ecuatoriano o del minero boliviano»), para llevarnos hasta las alturas de las estructuras míticas universales. Y por supuesto que una vez ahí no debemos preguntar si quizá la validez de las «relaciones de homología entre las condiciones naturales y las condiciones sociales» es puramente interna, formal, ajena a toda referencia objetiva a la naturaleza en cuanto penetrable científicamente o a la sociedad como cambiante en un mundo de cambios. No hemos de preguntarnos si tales relaciones revelan, quizá, una ideología enemiga no ya de la sociedad burguesa, sino del cambio; ideología en la que el inmovilismo o la circularidad (lo «renovable») se justifican por referencia al «caos» de la Historia. Mayor torpeza, si cabe, sería sugerir, como lo hace Yves Lacoste, que en todo el «Tercer Mundo» ciertos vestigios de las estructuras tradicionales, los que podían ser útiles para los fines opresivos de la minoría dominante, particularmente los mágico-religiosos, han sido cuidadosamente preservados y consolidados (9). Sólo quienes hacen antropología social o histórica, quienes tienen la audacia de fijar fechas, estudiar cuestiones demográficas, atender a la totalidad del sistema, tratar de cuestiones de clase, de subdesarrollo, de lo que Carpentier llama «los contextos», se plantean problemas tan vulgarmente realistas.

Lo que importa, por lo visto, es saber pasar por alto la posible «relación de homología» existente entre la negación de la centralidad de la lucha capitalismo-socialismo, la apología de la «visión» (contra «la historia opresora»), la defensa del mito en pleno subdesarrollo y el hecho de que la «nueva universalidad» que «debe conquistar» el hombre de Occidente se predica ampliamente desde las mismas tribunas en que todavía se insiste, a la vez, en la tesis del final de las ideologías y en la del desarrollismo (10). Todo ello permite buscar la solución a la opresión cultural burguesa no en el centro mismo de las relaciones burguesas de producción y en su historia, sino siempre, *là bas*, en mundos de perfección mítica imaginada. Si además de escabullirse así de la Historia, se manipulan algunos conceptos de una antropología al parecer anti-imperialista de modo que parezcan «coincidir», digamos,

---

(9) Yves Lacoste, *Geografía del subdesarrollo*, Ariel, Barcelona, 1971; pp. 108-109.

(10) Cf. por ejemplo, en la revista de Octavio Paz, *Plural*, México, D. F., en los números de abril, mayo y junio de 1974, los artículos de Daniel Bell sobre las sociedades post-industriales.

con el anti-imperialismo de Ho Chi Minh, no puede siño aumentar el confusionismo.

* * *

Como, por ejemplo, a propósito de la cuestión «lenguaje», que no sólo es hoy inseparable de la cuestión «mitos», sino clave de una manera de leer o entender la novela latinoamericana que aquí representa fielmente Carlos Fuentes.

No podemos sino estar de acuerdo con Fuentes cuando explica que *La casa verde* no existiría «fuera lel lenguaje» (p. 37), o que *El siglo de las luces* es una «novela que se hace a sí misma en su escritura» (p. 57). Con estas palabras se nos llama la atención —y tal vez no salga nunca sobrando— sobre lo más obvio y difícil del fenómeno literario: que en toda obra literaria de calidad el «fondo» es la «forma», lo «significado» su «estructura», etc., palabras que deberían decírnoslo todo, pero que, tras muchos años y millares de páginas dedicadas al asunto, apenas nos dejan acercarnos al umbral del misterio que se nos revela cuando entendemos que *Pedro Páramo, El coloquio de los perros, Le Rouge et le Noir* o *Libro de Manuel,* son, para bien o para mal, la forma que tienen, que no podían concebirse de otra manera porque existen «en su escritura» misma. ¿Quién que haya trabajado en el mundo de la producción literaria negará que es el lenguaje la materia prima del escritor, que escribir es recibir un lenguaje dado, bien mostrenco, y hacer con él otro lenguaje que sea a una vez propio y de otros (por lo que inmediatamente pasa a ser lenguaje «opresivo» para todo el que escriba luego, inclusive su creador mismo)? Si gracias a su lenguaje *La casa verde* no es igual que «una mala película mexicana de Rosa Carmina» (p. 47), tampoco es el hecho terrible y vulgar de la muerte lo mismo que las *Coplas* de Jorge Manrique, ni es *La de Bringas* lo mismo que un discurso de la Restauración sobre virtudes y vicios de la burguesía española burocrática.

Saber todo lo cual es muy distinto que dejarse llevar por la seudo-lógica interna del pensar sobre el «lenguaje» como realidad en sí para llegar a una inversión de las relaciones entre la realidad y el lenguaje que permita decir, por ejemplo, y a propósito nada menos que de Carpentier, quc la novela es hoy «lenguaje» porque «todo es lenguaje en América Latina: el poder y la libertad, la dominación y la esperanza» (p. 58). Si acaso —diríamos más modestamente— cabe afirmar que América Latina es una lucha entre el poder, la dominación opresiva y la esperanza de la libertad, antagonismo real de dos mundos que, naturalmente, crean cada uno su propio (y antagónico) lenguaje.

Porque «inventar un lenguaje» puede ser, como quiere Carlos Fuentes, «decir todo lo que la historia ha callado» (p. 30), pero en la realidad histórica: para ayudar a su transformación o, desde el poder, para evitar en lo posible toda transformación. Así, cuando en el Perú, según ejemplo que da el mismo Carlos Fuentes, «un señor de la oligarquía» llama a un sirviente «cholo de mierda», no es que por ese solo acto le «roba a éste de un lenguaje y de un ser» (p. 81): el «ser» le ha sido robado por una historia anterior a su nacimiento, y el lenguaje del «señor» no es sino uno de los instrumentos con que se trata de evitar que el «cholo» llegue a poder ser lo que en verdad es: persona que por lo bajito, a veces a las claras, tiene un lenguaje libre; ser humano que tendrá otro lenguaje. No es aquí cuestión de entrar en disquisiciones sobre «realidad» y «conciencia» y su interacción constante, o sobre cómo un reflejo lingüístico del poder es a la vez instrumento del poder (se dice «cholo de mierda» porque se puede y porque el decirlo contribuye a seguir pudiendo); pero parece evidente que cuando el «cholo de mierda» deja de serlo, objetiva y subjetivamente, el lenguaje en que se encuentra a sí mismo, como la huelga en que se plante o el rifle que carga, se dirige a la desmitificación de la realidad de base que ha permitido al «señor» someterle por siglos. En todo caso, para el «cholo» y para el «señor», lenguaje como instrumento. Con el cual, en efecto, ha de tratarse siempre de decir lo que la Historia ha callado y ha de tratarse de impedir que ello suceda. En este sentido no podemos sino estar de acuerdo con Carlos Fuentes cuando declara que «todo acto de lenguaje verdadero es en sí mismo revolucionario» (p. 94), siempre que estemos de acuerdo, claro está, sobre el significado de «verdadero».

Pero a lo largo del libro, una y otra vez, Carlos Fuentes se empeña en volver a poner la realidad cabeza abajo. Otro ejemplo, más extremo, si cabe, que el anterior. Viene hablando Fuentes de la palabra como «enemiga» de la sociedad de consumo y escribe, no sin razón, que «la sociedad de consumo europea, al atenuar o disimular las oposiciones de clase, convirtió a la política en un enorme ejercicio verbal», de lo cual deduce nada menos que «las palabras son la realidad de la sociedad de consumo: todo un sistema se mantiene sobre la utilización del lenguaje» (p. 89). No hace falta haber ido muy allá en el estudio de la comunicación de masas para saber que, en efecto, «el lenguaje» (verbal o de imágenes) le es absolutamente necesario a la sociedad de consumo en su estructura actual: las mercancías se venden, en gran parte, gracias a las palabras y a las imágenes. Hasta tal grado es importante el «lenguaje», que, según se sabe, él mismo (palabras, imágenes) ha llegado a ser importante mercancía. Fenómeno conocidísimo a partir del cual, sin embargo, no podemos llegar a las conclusiones de Carlos Fuentes. Porque *la realidad* de la sociedad de consumo (que rigurosamente ha de llamarse capitalismo), como queda de sobra explicado desde Marx y antes, es su inagotable necesidad de ampliación de mercados y, por tanto, su necesidad de desembocar en el fetichismo de la mercancía.

No se trata aquí de recordar lecciones elementales de historia económica, pero conviene no olvidar que la necesidad de producir exige la expansión del consumo más allá de los niveles básicos del uso (hasta el grado, claro está, de que no importa *qué* se cambia, puesto que todo es trabajo en abstracto). A su vez, la crisis por los avances tecnológicos, el enorme peligro de desempleo que traen consigo esos avances, es decir, el peligro que traen consigo de que disminuya el poder adquisitivo, obliga (aparte, por ejemplo, de fomentar el «desarrollismo» en el «Tercer Mundo») a la ampliación del sector terciario, el cual se ve obligado, entre otras cosas, a recurrir a la «persuasión» para su subsistencia. Así, todo un sistema descubre y desarrolla la importancia del «lenguaje» con intención y de modo insospechado por las más «avanzadas» teorías literarias. Pero *la realidad* del sistema en que esas palabras son a una vez «mensaje» y «mercancía», no está en «las palabras», sino en su intrínseca necesidad de expansión. Y es claro que el sistema no se «mantiene» sobre «la utilización del lenguaje», sino que —por elemental que parezca— se ayuda del lenguaje como uno más de sus instrumentos, instrumentos entre los cuales han de contarse también: monopolios, industria bélica, bancos internacionales, sabotaje de economías nacionales enemigas, bombardeos, control de salarios, etc.

Quien así cae en la trampa del enemigo a «superar» (que es, no lo olvidemos, la civilización burguesa), no es extraño que erija al lenguaje —y, por tanto, a quienes lo usan mejor profesionalmente— en instrumento supremo de su peculiar posición de «izquierda». De ahí, por ejemplo, que Fuentes declare que Lyndon Johnson «fue corrido de su puesto por los estudiantes, los intelectuales, los periodistas, los escritores: por hombres sin más armas que la palabra» (p. 88). Ante tan radical antirrealismo nos preguntamos si valdrá siquiera la pena recordarle a Carlos Fuentes que los vietnamitas, con armas en la mano y armados también con un riguroso instrumento teórico para el análisis de la realidad, algo tuvieron que ver con el asunto.

Cierto que —volvamos a ello— «inventar un lenguaje» es decir lo que «la Historia ha callado». Así, decir, por ejemplo, «El Tercer Estado es la Nación», o decir «Libertad, Igualdad, Fraternidad», o decir «plusvalía», fueron modos de revelar lo escondido para cambiar el mundo. Pero «inventar» un lenguaje puede también ser echar humo sobre lo que, bien mirado, podría salir a la luz peligrosamente. Así, «Igualdad» escondía el hecho de que en la Constitución de 1791 no todos eran ciudadanos, y que entre los que lo eran, unos lo eran más que otros; «vietnamización» pretendía cegar al mundo a la realidad de los B-52; escribir que sobre el escritor hispanoamericano pesan «cuatro siglos de lenguaje secuestrado» (p. 30) puede llevarnos a creer que se trata de liberar del secuestro un lenguaje anterior que estaba ahí y sigue ahí, pero escondido, esperando que los liberen los escritores hispanoamericanos para su uso, cuando en realidad se trata de algo mucho menos mistificador y más difícil: descolonizar el lenguaje, no ya de la «Madre Patria», que poco importa ya para estas cosas, sino de esa supuesta no burguesía que ha decidido, según Fuentes, «conquistar» para sí nuevas tierras culturales, y más vida en la difusión de la abstracción, en la negación de la Historia: porque no otra cosa que esta negación es la «nueva universalidad».

El sí y el no.

Al igual que en lo económico, la pretensión del sistema es en lo cultural inevitablemente universalista. Y opera exactamente igual a los dos niveles: o por la fuerza o a través de intermediarios cuya función ideológica principal en los últimos años ha sido, sistemáticamente, predicar la abstracción, poner el mundo cabeza abajo y, directa o indirectamente, negar la teoría y praxis de su contrario, que es el socialismo. Si por un lado, recurriendo tanto a la fuerza como a inyecciones de capital y de tecnología, el sistema pretende negar la negación del desarrollismo, niega por otro la historicidad, por ejemplo, del lenguaje o de los mitos: así como el «desarrollo» se presenta como una realidad sin historia de acumulación, originaria de capitales y sin relación imperial con el «subdesarrollo», el mito se revende como representación universal y «repetible» de relaciones humanas no referidas ni «a nación» ni «a clase». De modo que si un novelista recrea en *El reino de este mundo* la relación real (y mistificadora) entre Historia y Mito, se le llama a ello «anulación» mítica «del tiempo» (p. 51), y se pasa tranquilamente adelante habiendo negado la historicidad toda de la obra de Carpentier de un solo plumazo. La máxima negación, por supuesto, la suma y resumen hoy de todas las demás, es la afirmación que hace aquí suya Carlos Fuentes de que el verdadero «sello» de nuestro tiempo «no es la dicotomía capitalismo-socialismo».

En las páginas que dedica a Carpentier, al igual

que el cubano en su conferencia acerca de «El papel social del novelista» (11), Fuentes dice: «Sí y no»; contra el sectarismo, en pro de las «múltiples verdades antagónicas» de lo poético (p. 55), etc. Bien. Pero el «no» rotundo que da Fuentes a la «dicotomía» de nuestro tiempo ni es poético ni admite ambigüedades, y si se disfraza aquí y allá con un «sí» a Ho Chi Minh o a Fidel Castro, entendemos que no ha hecho sino disfrazarse. Por ello extraña que cerca del final del libro, y en son de queja, Carlos Fuentes escriba que «la palabra no debía ser enemiga del socialismo» (p. 92): ¿qué podrá importarle el asunto si la «dicotomía» que supone el socialismo es en su opinión (en su palabra) falsa?

Lo que no excluye, desde luego, que con razón o sin ella, «la palabra» que niega lo que el socialismo afirma ha de ser innevitablemente contraria al socialismo, aunque inicie su discurso con la pretensión de situarse «en la izquierda». Sólo en este sentido interesaba aquí aclarar algunas de las confusiones más difundidas en los últimos años, que Fuentes recoge y relanza en *La nueva novela hispanoamericana.*

(11) Cf. *supra,* nota 3.

EN EL REINO DE ESTE MUNDO

«Comienzan algunos a hablar del porvenir de "Nuestra América" con lenguaje de magos y profetas...»

A. Carpentier

La segunda novela de Alejo Carpentier, *El reino de este mundo* (1949), se funda en (nos remite a) una de las realidades históricas más extraordinarias de la edad moderna: la única rebelión de esclavos que haya jamás desembocado en una revolución victoriosa. Característica especialísima de este hecho histórico, ya de por sí inusitado, es que los esclavos revolucionarios fueran todos de una raza y los esclavistas vencidos de otra. Como se trata de Haití, primer país que alcanza la independencia en la América Latina (1804), no podemos menos de recordar unas palabras de José Carlos Mariátegui, escritas en 1929 (fecha en la que ya Carpentier era lector suyo) (1), con referencia general al problema de la

(1) Cf. «Literatura y conciencia política en América Latina», en el volumen del mismo título, Comunicación, serie B, Madrid, 1969; en particular, p. 77.

revolución en Latinoamérica, aunque escritas específicamente sobre Perú: «La lucha de clases —plantea Mariátegui— reviste indudablemente características especiales cuando la inmensa mayoría de los explotados está constituida por una raza y los explotadores pertenecen casi exclusivamente a otra» (2). Peculiaridad de la situación colonial que exige siempre especial sutileza de análisis, atenciones a lo concreto que a veces parecen pasarse por alto en los planteamientos revolucionarios de los países de Occidente (que han sido los colonizadores). A principios del siglo XIX es en el Caribe donde encontramos la forma extrema de la ecuación «especial» de que nos habla Mariátegui; la lucha de los esclavos contra los amos es, por una parte, una lucha de raza cotra raza y a la vez lucha por la independencia nacional. Caso límite, extraordinario, el de Haití, no sólo porque se da en él con tal «pureza» el conflicto colonial, sino porque se da en un continente mestizo (o tendiente al mestizaje), y porque de la lucha emerge victoriosa una nueva nación independiente. El hecho de que siempre, desde el principio de la esclavitud, haya habido rebeliones de esclavos negros en América, no sólo no quita, sino que añade a lo sorprendente de esta realidad histórica, en la contemplación y estudio de lagunas de cuyas consecuencias Carpentier descubre lo que llamará «lo real maravilloso» (3).

Pero la maravilla, la notable historia digna de

---

(2) «El problema de las razas en la América Latina», en *Ideología y Política*, Amauta, Lima, segunda ed., 1971; p. 61.

(3) Cf. el ensayo de ese título en *op. cit.*, pp. 97-118.

admiración y asombro (que no otra cosa significan «maravilla» y «maravilloso») no termina ahí: desde Toussaint de l'Ouverture, Dessalines y Henri Christophe hasta hoy, Haití nos ofrece, con conflictivas excepciones, una sucesión de duras tiranías, una constante explotación del negro por el negro y por el mulato —ascendente al poder en el XIX, al igual que lentamente el mestizo en otras partes de América—, explotación basada en gran parte en la «necesidad» de fortalecer el Estado libre y en justificadoras mitologías tribalistas que, como surgidas de otro mundo, irrumpieron y lo dominaron todo —ante el aterrado asombro de los esclavistas— en la cima del Siglo de las Luces.

Si dejamos de lado, como no lo hacía Mariátegui, un análisis de clase en su relación con el neocolonialismo del XIX en el Caribe y contemplamos tal historia desde una perspectiva racional-escéptica, podríamos sacar, al gusto, conclusiones de varios tipos: sobre la inutilidad —por ejemplo— de todo esfuerzo histórico de liberación, es decir, sobre la forma monótona, repetitiva, «circular», con que una y otra vez van los seres humanos del ansia de libertad a la opresión, de los momentos de razón (idealista) a su atávico fondo mágico-supersticioso. De donde no sería nada difícil pasar a la tesis, en apariencia nada escéptica y por tanto, en apariencia contraria, de la no historicidad de las estructuras culturales: cuando la avanzada revolucionaria de Occidente entroniza a la diosa razón, la revolución haitiana empieza a gestar —en la novela de Carpentier— con recuerdos legendario-mitológicos, se difunde gracias a los supuestos poderes mágicos del rebelde Mackandal, y todo ello, se dice, persiste hoy, sincrónicamente, en una situación histórica que, por lo que se refiere, por ejemplo, a la relación armónica del hombre con su sociedad y la Naturaleza, no parece significar ningún «progreso» con respecto a épocas (o sociedades) mal llamadas «primitivas», etc. He *ahí* —no faltará quien diga— lo «maravilloso» de la realidad haitiana, y he ahí de que en verdad nos hable la novela de Carpentier, característicamente Latinoamericana por su concepción sincrética (y sincrónica) de la cultura (4): realidad y novela en las que entenderíamos qué es eso que Carlos Fuentes se atreve a llamar nada menos que «sincronía antihistórica» (5). A fin de cuentas, ¿no es el mismo Carpentier quien, precisamente cuando cuenta de su descubrimiento de lo «real maravilloso», explica que fue entonces cuando vio «la posibilidad de establecer ciertos sincronismos posibles, americanos, recurrentes, por encima del tiempo, relacionando esto con aquella, el ayer con el presente? (6). Y es también Carpentier quien escribe que «por la virginidad del paisaje, por la formación, por la ontología, por la presencia fáustica del indio y del negro, por la revelación que constituyó su reciente descubrimiento, por los fecundos mestizajes que propició, América está muy lejos de haber agotado su caudal de mitologías» (7).

---

(4) El concepto aparece ya en el *Laberinto de la soledad,* de Octavio Paz.

(5) Cf. *La nueva novela hispanoamericana,* México, 1969; p. 42.

(6) *Op. cit.,* p. 112.

(7) *Op. cit.,* p. 118.

¿Qué forma novelística adquieren estas posibilidades diversas en *El reino de este mundo?* ¿Estamos acaso con esta novela de Carpentier frente a lo que Fuentes, al igual que otros, llamaría «narrativa mítica», inseparable por ahora tanto de una visión no «occidental» de la realidad como de «la universalidad de las estructuras del lenguaje»; es decir, «nueva novela» en la que «con la imaginación» el hombre se defiende «del caos circundante», de la Historia? (8). Leamos con cierto cuidado *El reino de este mundo.*

* * *

La novela se inicia con las meditaciones del joven esclavo Ti Noel acerca del parecido entre las cabezas de cera que adornan el escaparate de la peluquería en que su amo «se hacía rasurar» y las «cabezas de ternero desolladas» que se exhiben en la tripería contigua: «tenían la misma calidad cerosa». Otra tienda de al lado, vecina de la tripería, exhibe, en «las últimas estampas recibidas de París», cabezas empelucadas de reyes, guerreros y otros altos señores, así como un grabado de cobre en el que se ve a un rey negro que «rodeado de abanicos de plumas y sentado sobre un trono adornado de figuras de monos y de lagartos», recibe a «un almirante, a un embajador francés» (pp. 10-11) (9). De este contraste entre cabezas «calvas» blancuzcas, cabezas con pelucas y la imagen anti-«civilizada» del rey ne-

(8) Cf. *supra,* ensayo sobre Carlos Fuentes en este volumen, página 90.
(9) Cito por la edición de Seix Barral, Barcelona, 1967.

gro, pasamos inmediatamente a la admiración que siente Ti Noel por Mackandal, el serio y un tanto distante mandinga que «en el molino de cañas», con su voz «fingidamente cansada para preparar mejor ciertos remates»,

> hablaba de vastas migraciones de pueblos, de guerras seculares, de prodigiosas batallas en que los animales habían ayudado a los hombres. Conocía la historia de Adonhueso, del rey de Angola, del rey Dá, encarnación de la serpiente, que es eterno principio, nunca acabar, y que se holgaba místicamente con una reina que era el Arco Iris, señora del agua y de todo parto. Pero sobre todo se hacía prolijo con la gesta de Kankán Muza, el fiero Muza, hacedor del invencible imperio de los mandingas, cuyos caballos se adornaban con monedas de plata y gualdrapos bordados, y relinchaban más arriba del fragor de los hierros, llevando el trueno en el parche de dos tambores colgados de la cruz. Aquellos reyes, además, cargaban con la lanza a la cabeza de sus hordas, hechos invulnerables por la ciencia de los Preparadores, y sólo caían heridos si de alguna manera hubieran ofendido a las divinidades del Rayo o a las divinidades de la Forja. Reyes eran, reyes de verdad, y no esos soberanos cubiertos de pelos ajenos, que jugaban al boliche y sólo sabían hacer de dioses en los escenarios de sus teatros de corte, luciendo amaricada la pierna al compás de un rigodón (p. 12).

No es de extrañar la admiración de Ti Noel y de los demás esclavos que escuchan tales historias: en ellas se conjugan elementos fundamentales para la sobrevivencia de la dignidad de quienes a los ojos del amo (dc todo un sistema) no eran hombres, sino «cosas», «mercancía». A quienes estaban encadenados tras una migración criminal y obligatoria (propia o de sus padres), las leyendas de Mackandal les hablan de «vastas migraciones de pueblos» cuya insinuada libertad y coherencia son los contrarios exactos del fragmentado, incoherente, desarraigo del esclavo; al vencido le hablan de guerras victoriosas; al indefenso que vive entre animales y prácticamente a la intemperie, de ayudas prestadas a los hombres por animales y por «las divinidades del Rayo»; a quienes llegan a la noche físicamente agotados y hacen el amor sobre tierra y estiércol, se les habla de amores con reinas. «Pero sobre todo» se le habla al esclavo de invencibles imperios creados y mantenidos por seres superiores: reyes naturales (sin peluca), auténticos machos (no «amaricados») que «cargaban con la lanza a la cabeza de sus hordas». Y no pasemos por alto que, frente al lujo de quienes lucen «amaricada la pierna al compás de un rigodón», Mackandal habla también a los miserables le riquezas materiales («monedas de plata» y «gualdrapos bordados») con las que habían de identificarse en la negación de su miseria. En un mundo de contrarios absolutos (amo-esclavo, blanco-negro, riqueza-miseria, artificiosidad-naturalidad), como un Don Quijote anticristiano frente a pastores que no se identifican con la ideología del amo, sino que la rechazan en todo, Mackandal habla de «tuyo» y «mío» no como contrarios cuyo antagonismo ha de disolverse, sino como relaciones permanentes que han de invertirse. Así, el ansia de bienestar, de libertad, de holgura, de dignidad (i. e. de humanidad) de los esclavos, inevitablemente desemboca en la conciencia de la necesidad de la lucha. Por necesidad psicológica, por tradición cultural, esta lucha es inseparable, por una parte, de lo mágico (ayuda de animales, divinidades del Rayo), y por otra, de la admiración, respeto y obediencia al caudillo fuerte (cuya «simiente preciosa engrosa estirpe de héroes», p. 13). Pero incluso más allá de las diversas tradiciones africanas que confluyen en los relatos del mandinga Mackandal, podemos generalizar acerca de esta radical situación dialéctica haciendo notar que no se trata sino de un momento histórico particular en la formación de un pueblo frente a otro, momento en que la necesidad de acción orgánica identifica a cada uno de los miembros de la comunidad (tribu, clan, sociedad gentilicia) con los demás, sin por ello excluir jerarquías: hay, por supuesto, grandes reyes que son grandes caudillos luchadores, pero todos y cada uno de sus miembros participan (sagradamente) de la «simiente preciosa». *Simiente* que, por supuesto, es siempre de machos a los cuales, por supuesto, ayudan las divinidades. Sin salirnos del ámbito de nuestra lengua (de la época de creación de nuestra lengua) podemos recordar el organicismo medieval castellano, el desprecio del muy «masculino» Cid por los catalanes que vestían de seda (época aquella de valientes que recordaba con nostalgia Quevedo ya en la decadencia de la «tribu») y la presencia milagrera de Santiago. Organicidad de sociedad teocrático-militar que permitía a todo castellano, a todo azteca, a todo inca o a todo mandinga, identificarse con los privilegios de sus caudillos, de sus magos y de los intelectuales o poetas que registraban o narraban la grandeza (mítica) de tal identidad.

Así, en una isla del Caribe, en la cima de lo que para los amos de la sociedad esclavista es el Siglo de las Luces, y cuando esa sociedad, en su entrada a la revolución industrial, está a punto de verse escindida por la primera explosión radicalmente transformadora de la lucha de clases, los esclavos se preparan para su lucha con las leyendas y mitos de la realidad de su origen; adquisición de conciencia en la que, de inicio y por definición, queda excluido el concepto de clase. «Sincronismo» extraordinario el de la «convivencia» de estas dos «culturas» en la misma isla; «sincronismo» rigurosamente histórico (10) en base al cual opera certeramente en esta ficción el mandinga Mackandal.

No ha de extrañarnos, pues, la admiración que por él sienten los demás esclavos, ni tampoco que esta admiración se extienda velozmente por toda la isla cuando, tras haber perdido un brazo en un accidente de trabajo y ser dedicado por el amo al pastoreo en vista de su inutilidad, huye al monte ganándose una libertad que durará largo tiempo gracias —al pare-

---

(10) La otra cara de este «sincronismo», la presencia de lo europeo dominante e influyendo en lo africano, se encuentra novelada en parte en *El siglo de las luces*.

cer— a poderes licantrópicos adquiridos en su contacto con la Naturaleza. Con lo cual pasa Mackandal de narrador a protagonista de grandes gestas, según, desde la libertad, apareciendo y desapareciendo entre los suyos a voluntad, como por arte de magia, organiza una amplia y secreta organización subversiva con la cual se inicia lo que en otro escrito Carpentier ha llamado «una de las sublevaciones más dramáticas y extrañas de la Historia» (11).

Pero un día, en desafío que se diría premeditado, Mackandal se deja capturar. Las autoridades deciden, para escarmiento de los demás, que ha de ser quemado en la plaza de Cap Français. Pero los negros que llenan la plaza asisten tranquilos al acto porque saben que «Mackandal, transformado en mosquito zumbón, iría a pararse en el mismo tricornio del jefe de las tropas, para gozar del desconcierto de los blancos. Eso era lo que ignoraban los amos» (p. 40). Y en efecto, según empiezan a alcanzarle las llamas, Mackandal agita su muñón, se agita todo; pronto el fuego le quema las ataduras haciéndolas caer, y entonces:

> el cuerpo del negro se espigó en el aire, volando por sobre las cabezas, antes de hundirse en las ondas negras de la masa de esclavos. Un solo grito llenó la plaza:
>
> *¡Mackandal sauvé!* (p. 41).

---

(11) Cf. ensayo ya citado, *Literatura y conciencia...*, p. 117.

Después de tal aparente transfiguración, tras la toma de armas del jamaiquino Bouckman, triunfa al fin la sublevación de los esclavos. Pero cuando ya viejo vuelve Ti Noel de Cuba —a donde le había llevado, huyendo, su amo—, se encuentra con la tiranía de Henri Christophe, bajo la cual, para su asombro, pasa de nuevo a ser esclavo en la construcción de la ciudadela La Ferrière. Al cabo de un tiempo queda libre por inútil —por viejo— y alcanza a asistir a la destrucción popular del reino. Olvidado de todos entre los restos de la vieja hacienda en que se crió, vive todavía cuando llegan al poder los mulatos, los nuevos amos. Como pasa desapercibido en un mundo que ya él no entiende, cree Ti Noel haber heredado los poderes licantrópicos de Mackandal, y un buen día, indignado por el comportamiento de los mulatos, le alcanza también el fervor rebelde que le comunicara el mandinga en sus años mozos. La novela termina con las «transformaciones» de Ti Noel —en hormiga, en ganso— y con su descubrimiento, un buen día, de que Mackandal no usaba de sus poderes mágicos para huir de los conflictos de la historia en que vivía, sino para luchar por la transformación de esa historia. En ese extraordinario momento lanza «su declaración de guerra a los nuevos amos», según cae «sobre la llanura del Norte, colándose por el valle de Dondón con un bramido inmenso», un «gran viento verde, surgido del océano».

> Todos los árboles se acostaron de copa al Sur, sacando las raíces de la tierra. Y durante

> toda la noche, el mar, hecho lluvia, dejó rastros de sal en los flancos de las montañas.
>
> Y desde aquella hora nadie supo más de Ti Noel ni de su casaca verde con puños de encaje salmón... (p. 144).

Pero en realidad, los dos momentos supremos del triunfo de lo mágico, las desapariciones de Mackandal y de Ti Noel, en las que parece ir implícita, de algún modo, la permanencia de los dos en «el reino de este mundo», no son, en el sentido más estricto, tal triunfo. «La masa de esclavos» grita «¡Mackandal sauvé!» cuando éste queda desprendido del poste en que se está quemando; pero no termina ahí la historia, ya que ocurre que queda escrito por el narrador que «a tanto llegó el estrépito y la grita y la turbamulta, que muy pocos vieron que Mackandal, agarrado por diez soldados, era metido en el fuego, y que una llama crecida por el pelo encendido ahogaba su último grito» (p. 41). Hay que leer también con atención el final de Ti Noel —no dejarse llevar por el «gran viento verde»—, ya que, así como con un aire de misterio adecuado a las circunstancias se nos dice que «nadie supo más» de él, el novelista añade: «salvo, tal vez, aquel buitre mojado, aprovechador de toda muerte, que esperó el sol con las alas abiertas: cruz de plumas que acabó por plegarse y hundir el vuelo en las espesuras de Bois Caimán» (pp. 144-145).

O sea, que si al parecer, en un primer plano, que sería el de la enajenación del lector en las creencias de los personajes, Mackandal y su ingenuo discípulo (de quien, con probable calambur, se nos dice que era hombre de «pocas luces», p. 13) son capaces de conjurar poderes mágicos, de transformarse en el animal que sea, de superar opresiones con lo que no parecen ser sino apenas palabras y gestos, de seguir invisibles e inmortales entre los suyos, una lectura atenta nos revela que, estrictamente hablando, no hay tal: bien muertos están y se equivocaban los esclavos que la tarde de la hoguera «regresaron a sus haciendas riendo por todo el camino», convencidos de que «Mackandal había cumplido su promesa, permaneciendo en el reino de este mundo», y que «una vez más eran burlados los blancos por los Altos Poderes de la Otra Orilla» (p. 41). La burla, si acaso, se la habría hecho a ellos la Fuerza, que, aliada con la escéptica Razón, nos alecciona tanto sobre lo precientífico de la magia, la brujería y los mitos, como acerca de la inutilidad de la busca revolucionaria de justicias y perfecciones en «el reino de este mundo».

* * *

Pero claro está que no termina así tampoco la lectura completa de nuestra novela. Muertos están, cada uno a su tiempo, Mackandal y Ti Noel; y bien cierto es —en la novela como en la realidad— que la sublevación de los esclavos desembocó, en la zona norte de Haití, en el reinado tiránico de Henri Christophe, en la tiranía de los mulatos y ésta en sucesivas dictaduras que aún persisten: como persiste el vudú y como es un hecho que el primer país negro en liberarse del colonialismo es hoy el único de América que se cuenta entre los veinte más pobres del mundo, mientras que sus dirigentes viven como reyes («monedas de plata» y «gualdrapos bordados»), en tanto que persiguen, encarcelan, torturan y asesinan a quienes se les oponen, que para eso siguen existiendo los machísimos Tonton Macoute y una ideología desde la que se alienta a los campesinos a que sigan con sus prácticas mágicas, con la ancestral admiración al caudillo, símbolo de la unidad orgánica de una «nación» en la que sólo los traidores a la originalidad cultural de la «tribu» insisten en hablar de opresión, de clases, etc. Paraíso de «sincronismos» para estructuralistas que no sean demasiado sensibles a la miseria.

Pero cierto es también, en la realidad como en la ficción de Carpentier, que lo que en la magia y las leyendas heredadas o inventadas por Mackandal se oponía al mundo de los blancos esclavistas era no sólo fantasía consoladora, sino un poderoso catalizador de ansias de justicia. En los orígenes de la independencia de América, haya tenido o no poderes licantrópicos, Mackandal se nos aparece como depositario, por una parte, de una grandeza que no puede ser sino real en cuanto que dignifica a todos los de su raza contra quienes les niegan su lugar en la Humanidad, y, por otra, como organizador eficaz de la nueva conciencia para la lucha. Negado en su humanidad por la esclavitud, en su tradición siempre reinventada, en nueva lengua, en mitos y rituales incomprensibles para el amo, va salvando el negro, de generación en generación, la certeza de ser hombre que el amo le niega. Mackandal —historiador o inventor de ficciones, poco importa— es en las Antillas del Siglo de las Luces una de las encarnaciones de esa dignidad. Y poderes mágicos o no, el hecho es que la mutilación que le hace casi inservible como esclavo realmente productivo le permite volver a la Naturaleza, donde, con la ayuda de una «bruja», descubre los venenos con los que pasa a la acción enseñando a otros esclavos a envenenar las comidas de los amos: de ahí al levantamiento en regla sólo será cuestión de organización clandestina. En esa organización todos y cada uno de los miembros poseen poderes licantrópicos; i. e., todos llevan a cabo sus actividades subversivas sin ser vistos, como si fueran invisibles, como si a la hora de actuar fuesen apenas el mosquito que se posa en la mano del amo, el perro que duerme a sus pies, el gallo que anuncia la aurora. El mundo de los colonos blancos, porque es el mundo del Poder absoluto, es comportamiento que se exhibe con libertad desenfadada frente a quienes —porque se suponen carentes de humanidad— no significan peligro alguno. Pero lo que no saben los colonos es que «el mosquito zumbón iría a pararse —en efecto— en el mismo tricornio del jefe», preparando el asalto con leyendas y mitos comunicados en voz baja dentro de un mundo todo él ajeno, exterior al mundo de los amos; comunicando decisiones y órdenes con un lenguaje de tambores que, a diferencia de los lenguajes hablados que *todos* entienden —francés, criollo—, es un tercer lenguaje que sólo los esclavos entienden. Así, en la vida y en la muerte de Mackandal, todo lo que no pertenece al mundo de los amos (mundo del poder y de la razón), por irracional o falso que parezca (puesto que es estrictamente *irreal,* no existe para los amos), resulta ser operante en la Historia: origen mismo del Poder que lleva a la destrucción de la sociedad esclavista. En este sentido, mientras la relación entre el mundo blanco y el negro sigue siendo vertical, de amo a esclavo, el «sincronismo» que podríamos encontrar en la existencia en una isla de dos culturas paralelas, no cumple función dialéctica ninguna; sólo podrá hablarse de «sincronismo» o de «sincretismo» en América cuando los portadores de la cultura esclavizada se rebelan, traspasan la cultura dominante e, influyendo y siendo influido por ella, inician la creación de la sociedad conflictiva que vivimos todavía en nuestro tiempo.

El heredero de Mackandal, hombre ingenuo, agotado en su vejez por luchas y viajes, se había quedado en lo más superficial y subjetivo de la brujería, en la ilusión —apenas— de adquirir poderes licantrópicos como escapismo: con los años se le había olvidado la lección histórica. Pero ante el orgullo y los abusos de los mulatos, tras el fracaso de su transformación en ganso (fracaso que, dicho sea de paso, resulta de que los gansos le consideran extraño a su raza porque desconocen su linaje), Ti Noel, de repente,

> comprendió oscuramente que aquel repudio de los gansos era un castigo a su cobardía. Mackandal se había disfrazado de animal, du-

rante años, para servir a los hombres, no para desertar del terreno de los hombres. En aquel momento, vuelto a la condición humana, el anciano tuvo un supremo instante de lucidez. Vivió, en el espacio de un pálpito, los momentos capitales de su vida; volvió a ver a los héroes que le habían revelado la fuerza y la abundancia de sus lejanos antepasados de Africa, haciéndole creer en las posibles germinaciones del porvenir. Se sintió viejo de siglos incontables. Un cansancio cósmico, de planeta cargado de piedras, caía sobre sus hombros descarnados por tantos golpes, sudores y rebeldías. Ti Noel había gastado su herencia, y a pesar de haber llegado a la última miseria, dejaba la misma herencia recibida. Era un cuerpo de carne transcurrida. Y comprendía ahora que el hombre nunca sabe para quién padece y espera. Padece y espera y trabaja para gentes que nunca conocerá, y que a su vez padecerán y esperarán y trabajarán para otros que tampoco serán felices, pues el hombre ansía siempre una felicidad situada más allá de la porción que le es otorgada. Pero la grandeza del hombre está precisamente en querer mejorar lo que es. En imponerse tareas. En el reino de los cielos no hay grandeza que conquistar, puesto que allá todo es jerarquía establecida, incógnita despejada, existir sin término, imposibilidad de sacrificio, reposo y deleite. Por ello, agobiado de penas y de tareas, hermoso dentro de su miseria, capaz de amar en medio

> de las plagas, el hombre sólo puede hallar su grandeza, su máxima medida en el reino de este mundo (pp. 143-144).

Puestos a pensar en «sincronismos», aparentes misterios, contradicciones y paradojas históricas y culturales, no estará de más tomar en cuenta que Ti Noel es el anti-Cristo, donde la negación conserva cualidades de aquello que niego. En primer lugar, el nombre: Ti Noel=Petit Noel=Cristo. Como Cristo, desafía a los fariseos (los «mulatos investidos»); como en el caso de Cristo, su muerte viene acompañada de una gran tormenta, y como Cristo, un buitre («cruz de plumas») contempla su muerte. El capítulo en que se cuentan estos hechos lleva por título: «Agnus Dei». De ahí que la revelación que tiene poco antes de su muerte sea una verdadera epifanía y que sólo a partir de ella pueda Ti Noel lanzar «su declaración de guerra a los nuevos amos, dando órdenes a sus súbditos de partir al asalto de las obras insolentes de los mulatos investidos» (página 144). Pero esta «declaración de guerra» encierra un complejo tejido de ironías.

Por lo pronto nos indica que Ti Noel no es como Cristo: la realidad del final de la novela es precisamente la lucha (no la paz) en (y por) el reino de este mundo. Porque Ti Noel es, a fin de cuentas, un nombre impuesto por otros al niño cuyos antepasados se desconocen por culpa de un crimen histórico del que todos los esclavos salen históricamente «huérfanos»: origen desconocido del esclavo, pero concepción nada inmaculada. Podría ser su padre un personaje que aparece una sola vez en la novela (en el capítulo VII, titulado «El traje de hombre»), un «Toussaint, el ebanista», a quien se menciona cuando los esclavos están preparando el Nacimiento para Navidad: ¿Toussaint de l'Ouverture? Improbable cronológicamente tal vez; pero de gran valor simbólico, no sólo por la dimensión histórica de Toussaint, muy de este mundo, sino porque se confundiría con la de Mackandal, quien reaparece «erguido» precisamente en este capítulo (el siguiente es el de su «gran vuelo»): «El mandinga Mackandal. Mackandal Hombre. El Manco. El Restituido. El Acontecido»: él, si acaso, y no Ti Noel sería el nuevo Cristo en este cruce de referencias y símbolos que se continúan en el canto final del capítulo:

Yenvalo moin Papá!
Moin pas mangé g'un bambó
Yanvalou, Papá, yanvalou moin!
Ou vlai moin lavé chaudier,
Yenvalo moin?

> ¿Tendré que seguir lavando las calderas? ¿Tendré que seguir comiendo bambúes? Como salidas de las entrañas, las interrogaciones se apretaban cobrando en coro, el desgarrado gemir de los pueblos llevados al exilio para construir mausoleos, torres o interminables murallas. ¡Oh, padre, mi padre, cuán largo es el penar! (pp. 35-37).

El Cristo anti-Cristo sería, pues, Mackandal y no Ti Noel, su discípulo; anticristiano discípulo que recoge el grito de guerra, no la paz; que rechaza el Reino de los Cielos y deja su herencia —«la misma herencia recibida»— en y para la conquista del reino de este mundo.

En lo que se encierra también la ironía final de esa «declaración de guerra» de la novela, porque Ti Noel, al igual que el maestro, aunque la rebelión ha triunfado, vive todavía un mundo en el que los seres humanos son obligados a construir «mausoleos, torres o interminables murallas»; pero a diferencia de Mackandal, Ti Noel no tiene «súbditos» a quienes enviar «al asalto de las obras insolentes». Y lo único que logra en este su último gesto de rebeldía es caer de la mesa a la que se había subido (¿construida tal vez por Toussaint en otros tiempos?), desapareciendo para siempre en la muerte. Pero queda, sin embargo, la gesta, la novela de su herencia, que a su vez nos remite no sólo a la «miseria» del hombre, sino a su grandeza, revelada en el tiempo de Ti Noel y en el nuestro: en la Historia.

En cierto modo —y es parte del mismo complejo irónico—, la imprecación final de Ti Noel nos recuerda a los ruegos inútiles que le hace Sancho a su señor Don Quijote para que no se muera. Pero —aparte de que Ti Noel siempre creyó en las «historias» de Mackandal— lo que distingue al esclavo del quijotizado Sancho del final del *Ingenioso Hidalgo* es que donde el escudero quiere vencer a la muerte con la ilusión de que su señor y él se hagan pastores, es decir, con una transfiguración que el mismo Don Quijote, ya cuerdo, considera históricamente imposible, Ti Noel recoge un mandato eminentemente histórico y, por tanto, auténticamente transferible, aunque él mismo no pueda personalmente cumplirlo: gracias a él queda —en la ficción como en la realidad— la «herencia» de «las germinaciones posibles del porvenir».

Ninguno de los dos discípulos, ni Sancho ni Ti Noel, pueden nada contra la muerte, ni contra sus propias «pocas luces», ni, por tanto, contra su falta de eficacia. Pero donde Sancho —que no necesariamente Cervantes— nos invita a bajar la guardia y a aceptar la falsa solución de imposibles bucolismos, Ti Noel nos mantiene en la histórica certeza del mito de Sísifo entendido no como la inutilidad —por mucha «grandeza» que revele— de todo esfuerzo humano, sino como la conciencia de que la vida es lucha en la que tal vez lo único inalcanzable ha de ser la perfección; no se trata de volver a empezar siempre de cero, sino, sencillamente, de no negarse a «imponerse tareas», y no sólo para mayor «grandeza» del hombre, sino para mayor justicia, para mejorar en lo posible la condición humana: mala es la condición de Haití cuando muere Ti Noel, y mala es en nuestros tiempos todavía; peor era cuando Mackandal contaba sus historias que, andando el tiempo, llevarían a la rebelión, a la independencia y, entre tiranías, a la ayuda dada a Bolívar para otras independencias, y tantas otras cosas, malas y buenas, que hemos vivido desde entonces en la Historia.

* * *

Según recuerda que fue precisamente en una visita a la fortaleza de Henri Christophe donde cuajó finalmente su concepto de «lo real maravilloso», Carpentier escribe que Latinoamérica puede a veces «engendrar verdaderos monstruos»; «pero», añade,

> las compensaciones están presentes; puede un Melgarejo, tirano de Bolivia, hacer beber cubos de cerveza a su caballo Helofernes; del Mediterráneo caribe, en la misma época, surge un José Martí capaz de escribir uno de los mejores ensayos que, acerca de los pintores impresionistas franceses, hayan aparecido en cualquier idioma [...]. Hay también ahí quien hace un siglo y medio explicó los postulados filosóficos de la alienación a esclavos que llevaban tres semanas de manumisos [...]. Hay la prometeica soledad de Bolívar en Santa Marta, las batallas libradas al arma blanca durante nueve horas en el paisaje lunar de los Andes, las torres de Tikal, los frescos rescatados a la selva de Bonampak, el vigente enigma de Tihuanacu, la majestad de la acrópolis de Monte Albán...

Esta enumeración —que podría ser «inacabable», explica Carpentier— se encuentra en el ensayo sobre «Lo real maravilloso americano», donde también leemos

> que muchos se olvidan, con disfrazarse de magos a poco costo, que lo maravilloso comienza

a serlo de manera inequívoca cuando surge de una inesperada alteración de la realidad, de una iluminación inhabitual o singularmente favorecedora de las inadvertidas riquezas de la realidad de una ampliación de las escalas y categorías de la realidad...» (12).

Idea de la «realidad» eminentemente histórica que contrasta notablemente con la idea de Carlos Fuentes de que «uno de los rasgos más significativos de la imaginación literaria latinoamericana» es la aventura en pos de una serie de cosas «que se encuentran más allá de la pesadilla histórica» (13). Puesto que, según hemos visto, Fuentes incluye a Carpentier (buscador, según él, de «El Dorado») entre los escritores que así operan, no podemos sino concluir que confunde al novelista con algunos de sus personajes (particularmente, tal vez, de *Los pasos perdidos*), ya que Carpentier, frente a los autores dedicados a lo que llama «la agotante pretensión de suscitar lo maravilloso» (14), encuentra una y otra vez, y es ello claro en *El reino de este mundo*, que lo maravilloso es la realidad histórica misma. ¿Cabe, pues, en el universo de Carpentier suponer, como Carlos Fuentes, que Haití, que América, es una «pesadilla histórica»? No deja de tener sus «compensaciones»; y por algo describe Carpentier al tirano Henri Christophe como «monarca de increí-

(12) *Op. cit*, pp. 114-115.
(13) *La nueva novela...*, p. 68.
(14) Cf. *Literatura y conciencia...*, p. 116.

bles empeños» (15); o, como anticipándose a quienes predican hoy que hay que volver a escribir novelas de caballerías, califica a la *Verdadera historia de la conquista de la Nueva España*, de Bernal Díaz del Castillo, de «único libro de caballería real y fidedigno que se haya escrito», gracias a lo cual, y aunque parezca paradójico, en él se superan las «hazañas de Amadís de Gaula, Beliamis de Grecia y Florismarte de Hircania» (16).

La Historia, a fin de cuentas, es para Carpentier nuestro único dominio. De ahí que no creamos que pudiese decir, como Carlos Fuentes, que el intelectual americano de «izquierdas» queda «situado entre una historia que rechaza y una historia que desea» (17), porque él mismo se sitúa, sencillamente, en la Historia que a una vez se acepta y se rechaza. Se trata en Carpentier de un *Sí* absoluto a la Historia y de un *No* constante a todo lo que en la Historia pretende reducir al hombre a su miseria.

> Alguien ha escrito —escribe Carpentier— que el intelectual es un hombre que dice «no». Esta afirmación, harto fácil, ha cobrado el efímero relumbre de todo lugar común, de lo que Flaubert llamaba «la idea recibida». Porque el «no» sistemático, por manía de resistencia, por el prurito orgulloso de «no dejarse arrastrar», se vuelve tan absurdo en ciertos casos como

---

(15) *Loc. cit.* Sobre algunos de estos «empeños» véase la tragedia bufa de Aimé Césaire, *La tragedia del rey Christophe.*
(16) *Literatura y conciencia...*, p. 110.
(17) Cf. *supra*, pp. 75-76.

el «sí» erigido en sistema. Sí y No. Hay realidades, hechos, ante los cuales hay que decir «sí». Hay aspiraciones colectivas que convergen hacia ese «sí» necesario al cumplimiento de grandes tareas. Si se sabe decir «no», también hay que saber decir «sí». El «no» de muchos intelectuales alemanes frente a Hitler, el «no» de la resistencia francesa frente a Vichy, se prolonga, se completa en el «sí» a favor de Vietnam, de la Revolución cubana, de la lucha del Tercer Mundo contra el poder imperialista. El «sí» y el «no» dependen de principios. Lo importante está en no equivocarse en materia de principios. Del mantenimiento de esos principios dependen nuestros años futuros, los de quienes nos acompañan en nuestras tareas en los reinos de este mundo (18).

* * *

No ha de sorprendernos que también Carpentier se plantee el problema de la condición y futuro de la novela contemporánea. Así, al igual, por ejemplo, que Carlos Fuentes, y avalándose en «el espléndido desarrollo de la novela en América Latina», afirma categóricamente que «la novela no ha muerto» (19). Desde luego, como los más de los novelistas hispanoamericanos contemporáneos, rechaza «el método naturalista - nativista - tipicista - vernacular, aplicado

(18) Cf. «Papel social del novelista», en Literatura y..., páginas 137-338.
(19) *Op. cit.*, p. 121.

durante más de treinta años a la elaboración de la novela latinoamericana» (20); está más que consciente de las revoluciones conceptuales y técnicas de la novela moderna, y no deja de advertirnos, al igual que muchos otros, de los peligros de volver a caer en la novela-denuncia (21). Pero ahí termina el parecido entre Carpentier y los que han descubierto que la novela es «lenguaje», «estructura», etc. Porque Carpentier, a quien nadie le niega la riqueza de su lenguaje, la rigurosa estructura de su imaginación —por no hablar de su amplísima cultura—, se diría que anda en sus ideas acerca de la novela tan «desfasado», por lo menos, como en su fidelidad a la Revolución cubana. Así, por ejemplo, escribe que la «función cabal» de la novela «consiste en violar constantemente el principio ingenuo de ser relato destinado a causar "placer estético a los lectores", para hacerse un instrumento de indagación, un modo de conocimiento de hombres y de épocas» (22), y llega incluso a hablar de la «labor útil» que puede todavía llevar a cabo el novelista: de la «función de utilidad» de la novela (23).

Quizá sorprenda que se nos hable así de la novela en estos días en que, por ejemplo, se elogia *Cien años de soledad* porque «resulta entretenida», porque «nos presenta hechos y situaciones totalmente inverosímiles» (24), sobre todo si quien así se expresa

(20) *Op. cit.*, p. 14.
(21) *Op. cit.*, p. 38.
(22) *Op. cit.*, p. 11.
(23) *Op. cit.*, pp. 140-141.
(24) La primera frase la hemos citado ya en nuestro estudio sobre *Cien años de soledad;* la segunda es de Juan Goytisolo en

insiste en emplear los clásicos conceptos de «deleite» y «utilidad» que tuvieron mucha boga allá por los siglos XVI y XVII: en Cervantes, por ejemplo. Desde luego que a la vez que se queja de que «hay una tendencia a mitificar esta «América», Carpentier añade que se trata de una tendencia «sumamente fecunda y recomendable en lo poético, en lo artístico»; pero vuelve a llevar el agua a las ruedas de su molino cuando añade aún que, «en el caso que nos interesa» (que es el de la relación entre la literatura y la conciencia política de América Latina), esa tendencia «ha servido demasiadas veces para ocultar el molinismo, el dontancredismo de quienes, por cobardía o por conveniencia, trataron de olvidar que sólo una acción decididamente revolucionaria podía librarnos de los males que venimos arrastrando desde los días de la conquista» (25). Cierto que «allí donde esta aspiración [revolucionaria], o esta praxis, está adormecida, el escritor tiene poco que hacer», dice Carpentier; pero si «el hecho épico falta» tal vez en Europa, en cambio «se multiplica en otros lugares»: Vietnam, Oriente Medio, China, Latinoamérica...» (26).

Decididamente, nuestro novelista no se ha enterado de que el problema de «Europa» es su carencia de «mitos renovables» (27), y de ahí tal vez sus ideas sobre el arte de novelar, tan poco corrientes hoy en-

---

la entrevista publicada por *Revista de Occidente*, abril 1974, número 133, p. 24.

(25) *Op. cit.*, p. 80.

(26) *Op. cit.*, p. 137.

(27) Cf. *supra*, el ensayo sobre Carlos Fuentes; *passim*.

tre los novelistas de lengua española más propagandizados. De ahí también, seguramente, que cuando propone que «la novela debe llegar más allá de la narración» (28), no entiende por ello lo que Carlos Fuentes entiende que es *Rayuela,* cuando dice de ella que es «algo más que una narración..., un libro que suplantara radicalmente a la vida» (29), sino que, por el contrario, nos indica que ha de abarcar los «contextos» cabalmente latinoamericanos: las discriminaciones raciales, los contextos económicos, políticos, étnicos, culturales y hasta los culinarios, es decir: la vida misma, la realidad de Latinoamérica que no puede suplantarse (30).

De la existencia de estos contextos, de la conciencia de su existencia derivan, «como decía Epicteto: los deberes, las tareas por cumplir» (31). Tareas que son también, por supuesto, del novelista:

> Y me pregunto ahora si la mano del escritor pueda tener una misión más alta que la de definir, fijar, criticar, mostrar el mundo que le ha tocado en suerte vivir. Naturalmente, para ello hay que entender el lenguaje de ese mundo... ¿Qué lenguaje es ése? El de la historia que se produce en torno a él, que se construye en torno a él, que se crea alrededor de sí, que se afirma en derredor suyo (32).

---

(28) *Op. cit.,* p. 12.
(29) Cf. *supra,* el ensayo ya citado.
(30) Cf. *op. cit.,* p. 25-39.
(31) *Op. cit.,* p. 23.
(32) *Op. cit.,* pp. 135-136.

«Ocuparse de ese mundo, de ese pequeño mundo, de ese grandísimo mundo, es la tarea del novelista actual.» Tal es, añade Carpentier, la función social del novelista: «No puede hacer mucho más y ya es bastante. El gran trabajo del hombre sobre esta tierra consiste en querer mejorar lo que es. Sus medios son limitados, pero su ambición es grande. Pero es en esta tarea en el reino de este mundo donde podrá encontrar su verdadera dimensión y quizá su grandeza» (33). *Trabajo* cara al cual «hombre», «escritor» y «novelista» son ya una y la misma cosa y «escribir», como otras actividades, «es un medio de acción» (34).

Confianza en la capacidad de praxis de los seres humanos; sí categórico a la Historia, y en cuanto novelista, confianza en que «la novela está muy lejos de estar muerta, dispone todavía del lenguaje de cada día, lenguaje de los viejos narradores que está aún lejos de haberse agotado en todos sus recursos. Se interesa por los hombres a los cuales el lenguaje técnico no dice todavía nada. Son numerosos estos hombres, muy numerosos. Tienen todavía necesidad del lenguaje claro» (35); en Vietnam, en el Medio Oriente, en Latinoamérica: en todo lugar donde haya, por arriba, lenguajes comprensibles sólo para minorías selectas; por abajo: la incomprensión de la ignorancia o la perversión de lenguajes «masivos» que pretenden alejar más y más a los seres humanos de su Historia.

(33) *Op. cit.*, p. 142.
(34) *Op. cit.*, p. 140.
(35) *Op. cit.*, p. 141.

Confianza de Carpentier, en última instancia, en la realidad abierta, desenvolviéndose siempre dialécticamente hacia más vida con cada muerte (de Mackandal, de Ti Noel, de Martí, del Che Guevara). Donde entendemos que, en efecto, Mackandal, transformado en gentes «que nunca conocerá», permanece en el reino de este mundo; he ahí la realidad del mito. Ni entrega irracional —y en última instancia, antihistórica— al mito y sus «estructuras», ni negación de su existencia operante, para bien y para mal: distancia novelística clásica (aunque él guste hablar de su estilo «barroco») que es a la vez compromiso con la realidad del mundo que viven sus personajes; simpatía y rigor crítico ante esa realidad: *Sí* y *No,* en unidad dialéctica. Y en todo momento, apego a la Historia, aceptación plena de la Historia como es: muy especialmente cuando se trata de las «aspiraciones colectivas que convergen hacia ese "sí" necesario al cumplimiento de grandes tareas» (36).

---

(36) *Op. cit.,* p. 138

INDICE

EDICIONES TURNER

Títulos publicados

1. *El bandolerismo andaluz,* por C. Bernaldo de Quirós y Luis Ardila.
2. *Cruz y raya: Antología.* Selección y prólogo de José Bergamín.
3. *El cántico americano de Jorge Guillén,* por J. Ruiz de Conde.
4. *La sociedad madrileña fin de siglo y Baroja,* por Carmen del Moral. Prólogo de Blanco Aguinaga.
5. *Las cartas boca arriba,* por Gabriel Celaya.
6. *El espartaquismo agrario andaluz,* por C. Bernaldo de Quirós.
7. *Las cosas de España,* por Richard Ford. Prólogo de Gerald Brenan.
8. *Azaña,* por E. Giménez Caballero. Prólogo del autor.
9. *Hora de España: Antología.* Selección y prólogo de Francisco Caudet.
10. *Numancia,* por Rafael Alberti.
11. *Yo, inspector de alcantarillas,* por E. Giménez Caballero. Prólogo de Edward Baker.
12. *Cantos iberos,* por Gabriel Celaya.
13. *Primera imagen de...,* por Rafael Alberti.
14. *La picota. Figuras delincuentes,* por C. Bernaldo de Quirós. Prólogo de Antón Oneca.

15. *Escritores políticos españoles, 1780-1854.* Selección y prólogo de Albert Derozier.

16. *Política obrera en el País Vasco, 1880-1923,* por Juan Pablo Fusi.

17. *Discursos fundamentales,* por Indalecio Prieto. Selección y prólogo de E. Malefakis.

18. *Galdós: Burguesía y revolución,* por Julio Rodríguez-Puértolas.

LA NOVELA SOCIAL ESPAÑOLA

1. *El médico rural,* por Felipe Trigo. Prólogo de José Bergamín.

2. *La vida difícil,* por A. Carranque de Ríos. Prólogo de José Luis Fortea.

3. *La turbina,* por César M. Arconada. Prólogo de Gonzalo Santonja.

4. *Los caimanes,* por M. Ciges Aparicio. Prólogo de José Esteban.

5. *Jarrapellejos,* por Felipe Trigo. Prólogo de Rafael Conte.

SERIE ESPECIAL

España a Go-Gó. Turismo charter y neocolonialismo del espacio, por Mario Gaviria y otros.

El caso valenciano. Ni desarrollo regional ni ordenación del territorio. Informe dirigido por Mario Gaviria.

El turismo de playa en España, por Mario Gaviria y otros.